Les aventures de Sherlock Holmes

tome 1

Castor Poche
Collection animée par
François Faucher, Martine Lang et Soazig Le Bail

Titre original :

THE ADVENTURES
OF SHERLOCK HOLMES

Une production de l'Atelier du Père Castor

SIR ARTHUR CONAN DOYLE

Les aventures de Sherlock Holmes

tome 1

traduit de l'anglais par
BERNARD TOURVILLE

illustrations de
AUDE CROGNIER

Castor Poche Flammarion

Sir Arthur Conan Doyle, l'auteur, est né à Edimbourg en 1859, il est mort dans le Sussex en 1930. Il fit des études de médecine et exerça à Southsea de 1882 à 1890.

Son premier récit policier, *La tache écarlate,* parut en 1887, et décida de sa carrière. A partir de 1892, dans *Les aventures de Sherlock Holmes,* il a donné à son personnage de policier amateur une dimension exceptionnelle, qui a même influencé les méthodes de la criminologie moderne.

Très brillant, Conan Doyle est l'auteur de nombreuses nouvelles, de romans historiques, d'une histoire de *La guerre des Boers,* et d'une histoire en six volumes de la Grande Guerre.

Il s'est intéressé à la protection et à l'équipement des militaires britanniques. Il fut également un sportif accompli, s'adonnant au football, au cricket, à la course automobile, à la boxe...

Du même auteur dans Castor Poche :
Les aventures de Sherlock Holmes tome 2, n° 469 ;
Le chien des Baskerville, n° 478.

Christian Broutin, l'illustrateur de la couverture, est né le 5 mars 1933, par un curieux hasard, dans la cathédrale de Chartres... Après des études classiques, il est élève à l'Ecole des métiers d'art et sort le premier de sa promotion. Il est l'auteur d'une centaine d'affiches de films ainsi que de nombreuses couvertures de livres et de magazines.

Les aventures de Sherlock Holmes tome 1 :

Dans *Un scandale en Bohême,* Sherlock Holmes tombe presque amoureux de la suspecte numéro un, il a enfin trouvé un adversaire à sa taille !

La ligue des rouquins, une affaire d'identité, le mystère du val Boscombe, autant de nouvelles où la sagacité de l'éminent Sherlock n'est jamais mise en défaut. N'hésitant pas à se grimer, à jouer la comédie pour confondre l'assassin ou l'escroc. Au grand plaisir de son cher ami Watson, et du nôtre.

[illegible]

[illegible] vers et de [illegible]

Les aventures de Sherlock Holmes [illegible]

[illegible]

UN SCANDALE EN BOHÊME

I

Pour Sherlock Holmes, elle est *la* femme. Il la juge tellement supérieure à tout son sexe, qu'il ne l'appelle presque jamais par son nom : elle est et elle restera *la* femme. Aurait-il donc éprouvé à l'égard d'Irène Adler un sentiment voisin de l'amour ? absolument pas ! Son esprit lucide, froid, admirablement équilibré répugnait à toute émotion en général et à celle de l'amour en particulier. Je tiens Sherlock Holmes pour la machine à observer et à raisonner la plus parfaite qui ait existé sur la planète ; amoureux, il n'aurait plus été le même. Lorsqu'il parlait des choses du cœur, c'était toujours pour les assaisonner d'une pointe de raillerie ou d'un petit rire ironique. Certes, en tant qu'observateur, il les appréciait : n'est-ce pas par le cœur que s'éclairent les mobiles et les actes des créatures humaines ? Mais en tant que logicien professionnel, il les répudiait : dans un tempérament aussi délicat, aussi subtil que le sien, l'irruption d'une passion aurait introduit un élément de désordre dont aurait pu pâtir la rectitude de ses déductions. Il s'épargnait donc les émotions fortes, et il mettait autant de soin à s'en tenir à l'écart qu'à éviter, par exemple, de fêler l'une de ses loupes ou de semer des grains de poussière dans un instrument de précision. Telle était sa nature. Et pourtant une femme l'impressionna : *la* femme, Irène Adler, qui laissa néanmoins un souvenir douteux et discuté.

Ces derniers temps, je n'avais pas beaucoup vu Holmes. Mon mariage avait séparé le cours de nos vies. Toute mon attention se trouvait absorbée par mon bonheur personnel, si complet, ainsi que par les mille petits soucis qui fondent sur l'homme qui se crée un vrai foyer. De son côté, Holmes s'était isolé dans notre meublé de Baker Street ; son goût pour la bohème s'accommodait mal de toute forme de société ; enseveli sous de vieux livres, il alternait la cocaïne et l'ambition : il ne sortait de la torpeur de la drogue que pour se livrer à la fougueuse énergie de son tempérament. Il était toujours très attiré par la criminologie ; aussi occupait-il ses dons exceptionnels à dépister quelque malfaiteur et à élucider des énigmes que la police officielle désespérait de débrouiller.

Divers échos de son activité m'étaient parvenus par intervalles ; notamment son voyage à Odessa où il avait été appelé pour le meurtre des Trepoff, la solution qu'il apporta au drame ténébreux qui se déroula entre les frères Atkinson de Trincomalee, enfin la mission qu'il réussit fort discrètement pour la famille royale de Hollande. En dehors de ces manifestations de vitalité, dont j'avais simplement connaissance par la presse quotidienne, j'ignorais presque tout de mon ancien camarade et ami.

Un soir — c'était le 20 mars 1888 — j'avais visité un malade et je rentrais chez moi (car je m'étais remis à la médecine civile) lorsque mon chemin me fit passer par Baker Street. Devant cette porte dont je n'avais pas perdu le souvenir et qui sera toujours associée dans mon esprit au prélude de mon mariage comme aux sombres circonstances de l'*Etude en Rouge,* je fus empoigné par le désir de revoir Holmes et de savoir à quoi il employait ses facultés extraordinaires. Ses fenêtres étaient éclairées ; levant les

yeux, je distinguai même sa haute silhouette mince qui par deux fois se profila derrière le rideau. Il arpentait la pièce d'un pas rapide, impatient ; sa tête était inclinée sur sa poitrine, ses mains croisées derrière son dos. Je connaissais suffisamment son humeur et ses habitudes pour deviner qu'il avait repris son travail. Délivré des rêves de la drogue, il avait dû se lancer avec ardeur sur une nouvelle affaire. Je sonnai, et je fus conduit à l'appartement que j'avais jadis partagé avec lui.

Il ne me prodigua pas d'effusions. Les effusions n'étaient pas son fort. Mais il fut content, je crois, de me voir. A peine me dit-il un mot. Toutefois son regard bienveillant m'indiqua un fauteuil ; il me tendit un étui à cigares ; son doigt me désigna une cave à liqueurs et une bouteille d'eau gazeuse dans un coin. Puis il se tint debout devant le feu et me contempla de haut en bas, de cette manière pénétrante qui n'appartenait qu'à lui.

— Le mariage vous réussit ! observa-t-il. Ma parole, Watson, vous avez pris sept livres et demie depuis que je vous ai vu.

— Sept, répondis-je.

— Vraiment ? J'aurais cru un peu plus. Juste un tout petit peu plus, j'imagine, Watson. Et vous avez recommencé à faire de la clientèle, à ce que je vois. Vous ne m'aviez pas dit que vous aviez l'intention de reprendre le collier !

— Alors, comment le savez-vous ?

— Je le vois ; je le déduis. Comment sais-je que récemment vous vous êtes fait tremper, et que vous êtes nanti d'une bonne maladroite et peu soigneuse ?

— Mon cher Holmes, dis-je, ceci est trop fort ! Si vous aviez vécu quelques siècles plus tôt, vous auriez certainement été brûlé vif... Hé bien ! oui, il est exact que jeudi j'ai marché dans la campagne et que je suis rentré chez moi en piteux état ; mais comme j'ai changé de vêtement, je me demande comment vous avez pu le voir, et le déduire. Quant à Mary-Jane, elle est incorrigible ! ma femme lui a donné ses huit jours ; mais là encore, je ne conçois pas comment vous l'avez deviné.

Il rit sous cape et frotta l'une contre l'autre ses longues mains nerveuses.

— C'est d'une simplicité enfantine, dit-il. Mes yeux me disent que sur le côté intérieur de votre soulier gauche, juste à l'endroit qu'éclaire la lumière du feu, le cuir est marqué de six égratignures presque parallèles ; de toute évidence celles-ci ont été faites par quelqu'un qui a sans précaution gratté autour des bords de la semelle pour en détacher une croûte de boue. D'où, voyez-vous, ma double déduction que vous êtes sorti par mauvais temps et que, pour nettoyer vos chaussures, vous ne disposez que d'un spécimen très médiocre de la domesticité londonienne. En ce qui concerne la reprise de votre activité professionnelle, si un gentleman qui entre ici introduit avec lui des relents d'iodoforme, arbore sur son index droit la trace noire du nitrate d'argent, et porte un chapeau haut de forme pourvu d'une bosse indiquant l'endroit où il dissimule son stéthoscope, je serais en vérité bien stupide pour ne pas l'identifier comme un membre actif du corps médical.

Je ne pus m'empêcher de rire devant l'aisance

avec laquelle il m'expliquait la marche de ses déductions.

— Quand je vous entends me donner vos raisons, lui dis-je, les choses m'apparaissent toujours si ridiculement simples qu'il me semble que je pourrais en faire autant ; et cependant chaque fois que vous me fournissez un nouvel exemple de votre manière de raisonner, je reste pantois jusqu'à ce que vous m'exposiez votre méthode. Mes yeux ne sont-ils pas aussi bons que les vôtres ?

— Mais si ! répondit-il en allumant une cigarette et en se jetant dans un fauteuil. Seulement vous voyez, et vous n'observez pas. La distinction est claire. Tenez, vous avez fréquemment vu les marches qui conduisent à cet appartement, n'est-ce pas ?

— Fréquemment.

— Combien de fois ?

— Je ne sais pas : des centaines de fois.

— Bon. Combien y en a-t-il ?

— Combien de marches ? Je ne sais pas.

— Exactement ! Vous n'avez pas observé. Et cependant vous avez vu. Toute la question est là. Moi, je sais qu'il y a dix-sept marches, parce que à la fois j'ai vu et observé. A propos, puisque vous vous intéressez à ces petits problèmes et que vous avez été assez bon pour relater l'une ou l'autre de mes modestes expériences, peut-être vous intéresserez-vous à ceci...

Il me tendit une feuille de papier à lettres, épaisse et rose, qui se trouvait ouverte sur la table.

— Je l'ai reçue au dernier courrier, reprit-il. Lisez à haute voix.

La lettre n'était pas datée, et elle ne portait ni signature ni adresse de l'expéditeur :

On vous rendra visite ce soir à huit heures moins le quart. Il s'agit d'un gentleman qui désire vous consulter sur une affaire de la plus haute importance. Les récents services que vous avez rendus à l'une des cours d'Europe ont témoigné que vous êtes un homme à qui l'on peut se fier en sécurité pour des choses capitales. Les renseignements sur vous nous sont de différentes sources venus. Soyez chez vous à cette heure-là, et ne vous formalisez pas si votre visiteur est masqué.

— Voilà qui est mystérieux au possible ! dis-je. A votre avis, qu'est-ce que ça signifie ?

— Je n'ai encore aucune donnée. Et bâtir une théorie avant d'avoir des données est une erreur monumentale : insensiblement on se met à torturer les faits pour qu'ils collent avec la théorie, alors que ce sont les théories qui doivent coller avec les faits. Mais de la lettre elle-même, que déduisez-vous ?

J'examinai attentivement l'écriture, et le papier.

— Son auteur est sans doute assez fortuné, remarquai-je en m'efforçant d'imiter la méthode de mon camarade. Un tel papier coûte au moins une demi-couronne le paquet : il est particulièrement solide, fort.

— Particulièrement : vous avez dit le mot. Ce n'est pas un papier fabriqué en Angleterre. Regardez-le en transparence.

J'obéis, et je vis un grand *E* avec un petit *g*, un *P*, et un grand *G* avec un petit *t*, en filigrane dans le papier.

— Qu'est-ce que vous en pensez ? demanda Holmes.

— Le nom du fabricant, probablement ; ou plutôt son monogramme.

— Pas du tout. Le *G* avec le petit *t* signifie *Gesellschaft*, qui est la traduction allemande de « Compagnie ». C'est l'abréviation courante, qui correspond à notre « Cie ». *P*, bien sûr, veut dire « Papier ». Maintenant voici *Eg*. Ouvrons notre *Informateur continental*...

Il s'empara d'un lourd volume marron.

— Eglow, Eglonitz... Nous y sommes : Egria. Situé dans une région de langue allemande, en Bohême, pas loin de Carlsbad. « Célèbre parce que Wallenstein y trouva la mort, et pour ses nombreuses verreries et papeteries. » Ah, ah ! mon cher, qu'en dites-vous ?

Ses yeux étincelaient ; il souffla un gros nuage de fumée bleue et triomphale.

— Le papier a donc été fabriqué en Bohême, dis-je.

— En effet. Et l'auteur de la lettre est un Allemand. Avez-vous remarqué la construction particulière de la phrase : « Les renseignements sur vous nous sont de différentes sources venus » ? Ni un Français, ni un Russe ne l'aurait écrite ainsi. Il n'y a qu'un Allemand pour être aussi discourtois avec ses verbes. Il reste toutefois à découvrir ce que me veut cet Allemand qui m'écrit sur papier de Bohême et préfère porter un masque plutôt que me laisser voir son

visage. D'ailleurs le voici qui arrive, sauf erreur, pour lever tous nos doutes.

Tandis qu'il parlait, j'entendis des sabots de chevaux, puis un grincement de roues contre la bordure du trottoir, enfin un vif coup de sonnette. Holmes sifflota.

— D'après le bruit, deux chevaux !... Oui, confirma-t-il après avoir jeté un coup d'œil par la fenêtre : un joli petit landau, conduit par une paire de merveilles qui valent cent cinquante guinées la pièce. Dans cette affaire, Watson, il y a de l'argent à gagner, à défaut d'autre chose !

— Je crois que je ferais mieux de m'en aller, Holmes.

— Pas le moins du monde, docteur. Restez à votre place. Sans mon historiographe, je suis un homme perdu. Et puis, l'affaire promet! Ce serait dommage de la manquer.

— Mais votre client...

— Ne vous tracassez pas. Je puis avoir besoin de vous, et lui aussi. Le voici. Asseyez-vous dans ce fauteuil, docteur, et soyez attentif.

Un homme entra. Il ne devait pas mesurer moins de deux mètres, et il était pourvu d'un torse et de membres herculéens. Il était richement vêtu : d'une opulence qui, en Angleterre, passait presque pour du mauvais goût. De lourdes bandes d'astrakan barraient les manches et les revers de son veston croisé ; le manteau bleu foncé qu'il avait jeté sur ses épaules était doublé d'une soie couleur de feu et retenu au cou par une aigue-marine flamboyante. Des demi-bottes qui montaient jusqu'au mollet et dont le haut était garni d'une épaisse fourrure brune complétaient l'impression d'un faste barbare. Il tenait un chapeau à larges bords, et la partie supérieure de son visage était recouverte d'un masque noir qui descendait jusqu'aux pommettes ; il avait dû l'ajuster devant la porte, car sa main était encore levée lorsqu'il entra. Le bas du visage révélait un homme énergique, volontaire : la lèvre épaisse et tombante ainsi qu'un long menton droit suggéraient un caractère résolu pouvant aller à l'extrême de l'obstination.

— Vous avez lu ma lettre ? demanda-t-il d'une voix dure, profonde, fortement timbrée d'un accent allemand. Je vous disais que je viendrais...

Il nous regardait l'un après l'autre ; évidemment il ne savait pas auquel s'adresser.

— Asseyez-vous, je vous prie, dit Holmes. Voici mon ami et confrère, le docteur Watson, qui est parfois assez complaisant pour m'aider. A qui ai-je l'honneur de parler?

— Considérez que vous parlez au comte von Kramm, gentilhomme de Bohême. Dois-je comprendre que ce gentleman qui est votre ami est homme d'honneur et de discrétion, et que je puis lui confier des choses de la plus haute importance? Sinon, je préférerais m'entretenir avec vous seul.

Je me levai pour partir, mais Holmes me saisit par le poignet et me repoussa dans le fauteuil.

— Ce sera tous les deux, ou personne! déclara-t-il. Devant ce gentleman, vous pouvez dire tout ce que vous me diriez à moi seul.

Le comte haussa ses larges épaules.

— Alors je commence, dit-il, par vous demander le secret le plus absolu pendant deux années; passé ce délai, l'affaire n'aura plus d'importance. Pour l'instant, je n'exagère pas en affirmant qu'elle risque d'influer sur le cours de l'histoire européenne.

— Vous avez ma parole, dit Holmes.

— Et la mienne.

— Pardonnez-moi ce masque, poursuivit notre étrange visiteur. L'auguste personne qui m'emploie désire que son collaborateur vous demeure inconnu, et je vous avouerai tout de suite que le titre sous lequel je me suis présenté n'est pas exactement le mien.

— Je m'en doutais! fit sèchement Holmes.

— Les circonstances sont extrêmement délicates. Il ne faut reculer devant aucune précaution pour étouffer tout germe de ce qui pourrait devenir un immense scandale et compromettre gravement l'une des familles régnantes de l'Europe. Pour parler clair, l'affaire concerne la grande maison d'Ormstein, d'où sont issus les rois héréditaires de Bohême.

— Je le savais aussi, murmura Holmes en s'installant dans un fauteuil et en fermant les yeux.

Notre visiteur contempla avec un visible étonnement la silhouette dégingandée, nonchalante de l'homme qui lui avait été sans nul doute dépeint comme le logicien le plus incisif et le policier le plus dynamique de l'Europe. Holmes rouvrit les yeux avec lenteur pour dévisager non sans impatience son client :

— Si Votre Majesté daignait condescendre à exposer le cas où elle se trouve, observa-t-il, je serais plus à même de la conseiller.

L'homme bondit hors de son fauteuil pour marcher de long en large, sous l'effet d'une agitation qu'il était incapable de contrôler. Puis, avec un geste désespéré, il arracha le masque qu'il portait et le jeta à terre.

— Vous avez raison, s'écria-t-il. Je suis le roi. Pourquoi m'efforcerais-je de vous le cacher ?

— Pourquoi, en effet ? dit Holmes presque à voix basse. Votre Majesté n'avait pas encore prononcé une parole que je savais que j'avais en face de moi Wilhelm Gottsreich Sigismond von Ormstein, grand-duc de Cassel-Falstein, et roi héréditaire de Bohême.

— Mais vous pouvez comprendre, reprit notre visiteur étranger qui s'était rassis tout en

passant sa main sur son front haut et blanc, vous pouvez comprendre que je ne suis pas habitué à régler ce genre d'affaires par moi-même. Et pourtant il s'agit d'une chose si délicate que je ne pouvais la confier à un collaborateur quelconque sans tomber sous sa coupe. Je suis venu incognito de Prague dans le but de vous consulter.

— Alors, je vous en prie, consultez ! dit Holmes en refermant les yeux.

— En bref, voici les faits : il y a environ cinq années, au cours d'une longue visite à Varsovie, j'ai fait la connaissance d'une aventurière célèbre, Irène Adler. Son nom vous dit sûrement quelque chose.

— S'il vous plaît, docteur, voudriez-vous regarder sa fiche ? murmura Holmes sans ouvrir les yeux.

Depuis plusieurs années, il avait adopté une méthode de classement pour collationner toutes les informations concernant les gens et les choses, si bien qu'il était difficile de parler devant lui d'une personne ou d'un fait sans qu'il ne pût fournir aussitôt un renseignement. Dans ce cas précis, je trouvai la biographie d'Irène Adler intercalée entre celle d'un rabbin juif et celle d'un chef d'état-major qui avait écrit une monographie sur les poissons des grandes profondeurs sous-marines.

— Voyons, dit Holmes. Hum ! Née dans le New Jersey en 1858. Contralto... Hum ! La Scala... Hum ! Prima donna à l'Opéra impérial de Varsovie... Oui ! Abandonne la scène... Ah ! Habite à Londres... Tout à fait cela. A ce que je vois, Votre Majesté s'est laissé prendre aux filets de cette jeune personne, lui a écrit quelques lettres compromettantes, et serait aujourd'hui désireuse qu'elles lui fussent restituées.

— Exactement. Mais comment...

— Y a-t-il eu un mariage secret ?

— Non.

— Pas de papiers, ni de certificats légaux ?

— Aucun.

— Dans ce cas je ne comprends plus Votre Majesté. Si cette jeune personne essayait de se servir de vos lettres pour vous faire chanter ou pour tout autre but, comment pourrait-elle prouver qu'elles sont authentiques ?

— Mon écriture...

— Peuh, peuh ! Des faux !

— Mon papier à lettres personnel...

— Un vol !

— Mon propre sceau...

— Elle l'aura imité !

— Ma photographie...

— Elle l'a achetée !

— Mais nous avons été photographiés ensemble !

— Oh ! là, là ! Voilà qui est très mauvais. Votre Majesté a manqué de discrétion !

— Elle m'avait rendu fou : j'avais perdu la tête !

— Vous vous êtes sérieusement compromis.

— A l'époque je n'étais que prince héritier. J'étais jeune. Aujourd'hui je n'ai que trente ans.

— Il faut récupérer la photographie.

— Nous avons essayé, nous n'avons pas réussi.

— Votre Majesté paiera. Il faut l'acheter.

— Elle ne la vendra pas.

— La dérober, alors.

— Cinq tentatives ont été effectuées. Deux fois des cambrioleurs à ma solde ont fouillé sa maison de fond en comble. Une fois nous avons volé ses bagages pendant qu'elle voyageait. Deux fois nous lui avons tendu une véritable embuscade. Aucun résultat.

— Pas de trace de la photographie ?

— Pas la moindre.

Holmes éclata de rire :

— Voilà un très joli petit problème ! dit-il.

— Mais qui est très grave pour moi, répliqua le roi sur un ton de reproche.

— Très grave, c'est vrai. Et que se propose-t-elle de faire avec cette photographie ?

— Ruiner ma vie.

— Mais comment ?

— Je suis sur le point de me marier.

— Je l'ai entendu dire.

— Avec Clotilde Lothman de Saxe-Meningen, la seconde fille du roi de Scandinavie. Vous connaissez peut-être la rigidité des principes de cette famille : la princesse elle-même est la délicatesse personnifiée. Si l'ombre d'un doute plane sur ma conduite, tout sera rompu.

— Et Irène Adler ?

— ... Menace de leur faire parvenir la photographie. Et elle le fera. Je suis sûr qu'elle le fera ! Vous ne la connaissez pas : elle a une âme d'acier. Elle combine le visage de la plus ravissante des femmes avec le caractère du plus déterminé des hommes. Plutôt que de me voir marié avec une autre, elle irait aux pires extrémités : aux pires !

— Etes-vous certain qu'elle ne l'a pas encore envoyée ?

— Certain.

— Pourquoi ?

— Parce qu'elle a déclaré qu'elle l'enverrait le jour où les fiançailles seraient publiées. Or elles seront rendues publiques lundi prochain.

— Oh ! mais nous avons encore trois jours devant nous ! laissa tomber Holmes en étouffant un bâillement. Heureusement, car j'ai pour l'heure une ou deux affaires importantes à régler. Votre Majesté ne quitte pas Londres ?

— Non. Vous me trouverez au Langham, sous le nom de comte von Kramm.

— Alors je vous enverrai un mot pour vous tenir au courant de la marche de l'affaire.

— Je vous en prie. Je suis terriblement inquiet.

— Et, quant à l'argent ?

— Je vous laisse carte blanche.

— Absolument ?

— Je donnerais l'une des provinces de mon royaume en échange de cette photographie.

— Et pour les frais immédiats ?

Le roi chercha sous son manteau une lourde bourse en peau de chamois et la déposa sur la table.

— Elle contient trois cents livres sterling en or, et sept cents en billet, dit-il.

Holmes rédigea un reçu sur une feuille de son carnet, et le lui tendit.

— Et l'adresse de la demoiselle ? demanda-t-il.

— Briony Lodge, Serpentine Avenue, Saint John's Wood.

Holmes la nota, avant d'interroger.

— Une autre question : la photographie est format album ?

— Oui.

— Bien. Bonne nuit, Majesté. J'ai confiance. Nous aurons bientôt d'excellentes nouvelles à vous communiquer... Et à vous aussi, bonne nuit, Watson ! ajouta-t-il lorsque les roues du landau royal s'ébranlèrent pour descendre la rue. Si vous avez la gentillesse de passer ici demain après-midi à trois heures, je serai heureux de bavarder un peu avec vous.

II

A trois heures précises j'étais à Baker Street, mais Holmes n'était pas encore de retour. La logeuse m'indiqua qu'il était sorti un peu après huit heures du matin. Je m'assis au coin du feu, avec l'intention de l'attendre aussi longtemps qu'il le faudrait. Déjà cette histoire me passionnait : elle ne se présentait pas sous l'aspect lugubre des deux crimes que j'ai déjà relatés ; toutefois sa nature même ainsi que la situation élevée de son héros lui conféraient un intérêt spécial. Par ailleurs, la manière qu'avait mon ami de maîtriser une situation et le spectacle de sa logique incisive, aiguë, me procuraient un vif plaisir : j'aimais étudier son système de travail et suivre de près les méthodes (subtiles autant que hardies) grâce auxquelles il désembrouillait les écheveaux les plus inextricables. J'étais si accoutumé à ses succès que l'hypothèse d'un échec ne m'effleurait même pas.

Il était près de quatre heures quand la porte s'ouvrit pour laisser pénétrer une sorte de valet d'écurie qui semblait pris de boisson : rougeaud, hirsute, il étalait de gros favoris, et ses vêtements étaient minables. L'étonnant talent de mon ami pour se déguiser m'était connu, mais je dus le regarder à trois reprises avant d'être sûr que c'était bien lui. Il m'adressa un signe de tête et disparut dans sa chambre, d'où il ressortit cinq minutes plus tard, habillé comme à son ordinaire d'un respectable costume de tweed. Il plongea les mains dans ses poches, allongea les jambes devant le feu, et partit d'un joyeux rire qui dura plusieurs minutes.

— Hé bien ! ça alors ! s'écria-t-il.

Il suffoquait ; il se reprit à rire, et il rit de si bon cœur qu'il dut s'étendre, à court de souffle, sur son canapé.

— Que se passe-t-il ?

— C'est trop drôle ! Je parie que vous ne devinerez jamais comment j'ai employé ma matinée ni ce que j'ai fini par faire.

— Je ne sais pas... Je suppose que vous avez surveillé les habitudes et peut-être la maison de Mlle Irène Adler.

— C'est vrai ! Mais la suite n'a pas été banale. Je vais tout vous raconter. Ce matin, j'ai quitté la maison un peu après huit heures, déguisé en valet d'écurie cherchant de l'embauche. Car entre les hommes de chevaux il existe une merveilleuse sympathie, presque une franc-maçonnerie : si vous êtes l'un des leurs, vous saurez en un tournemain tout ce que vous désirez savoir. J'ai trouvé de bonne heure Briony Lodge. Cette villa est un bijou : située juste sur la route avec un jardin derrière ; deux étages ; une énorme serrure à la porte ; un grand salon à droite, bien meublé, avec de longues fenêtres descendant presque jusqu'au plancher et pourvues de ces absurdes fermetures anglaises qu'un enfant pourrait ouvrir. Derrière, rien de remarquable, sinon une fenêtre du couloir qui peut être atteinte du toit de la remise. J'ai fait le tour de la maison, je l'ai examinée sous tous les angles, sans pouvoir noter autre chose d'intéressant. J'ai ensuite descendu la rue en flânant et j'ai découvert, comme je m'y attendais, une écurie dans un chemin qui longe l'un des murs du jardin. J'ai donné un coup de main aux valets qui bouchonnaient les chevaux : en échange, j'ai reçu une pièce de monnaie, un verre de whisky, un peu de gros tabac pour bourrer deux pipes, et tous les renseignements dont j'avais besoin sur Mlle Adler, sans compter ceux que j'ai obtenus sur une demi-douzaine de gens du voisinage et dont je me moque éperdument ; mais il fallait bien que j'écoute aussi leurs biographies, n'est-ce pas ?

— Quoi, au sujet d'Irène Adler ? demandai-je.

— Oh ! elle a fait tourner toutes les têtes des hommes là-bas ! C'est la plus exquise des créatures de cette terre : elle vit paisiblement, chante à des concerts, sort en voiture chaque

jour à cinq heures, pour rentrer dîner à sept heures précises, rarement à d'autres heures, sauf lorsqu'elle chante. Ne reçoit qu'un visiteur masculin, mais le reçoit souvent. Un beau brun, bien fait, élégant ; il ne vient jamais moins d'une fois par jour, et plutôt deux. C'est un M. Godfrey Norton, membre du barreau. Voyez l'avantage qu'il y a d'avoir des cochers dans sa confidence ! Tous ceux-là le connaissaient pour l'avoir ramené chacun une douzaine de fois de Serpentine Avenue. Quand ils eurent vidé leur sac, je fis les cent pas du côté de la villa tout en élaborant mon plan de campagne.

» Ce Godfrey Norton était assurément un personnage d'importance dans notre affaire : un homme de loi ! Cela s'annonçait mal. Quelle était la nature de ses relations avec Irène Adler, et pourquoi la visitait-il si souvent ? Etait-elle sa cliente, son amie, ou sa maîtresse ? En tant que cliente, elle lui avait sans doute confié la photographie pour qu'il la garde. En tant que maîtresse, c'était moins vraisemblable. De la réponse à cette question dépendait mon plan : continuerais-je à travailler à Briony Lodge ? Ou m'occuperais-je plutôt de l'appartement que ce monsieur possédait dans le quartier des avocats ?... Je crains de vous ennuyer avec ces détails, mais il faut bien que je vous expose toutes mes petites difficultés si vous voulez vous faire une idée exacte de la situation.

— Je vous écoute attentivement.

— J'étais en train de peser le pour et le contre dans ma tête quand un fiacre s'arrêta devant Briony Lodge ; un gentleman en sortit ; c'était un très bel homme, brun, avec un nez droit, des moustaches... De toute évidence, l'homme dont on m'avait parlé. Il semblait très pressé, cria au cocher de l'attendre, et s'engouffra à l'intérieur dès que la bonne lui eut ouvert la porte : visiblement il agissait comme chez lui...

» Il y avait une demi-heure qu'il était arrivé ; j'avais pu l'apercevoir, par les fenêtres du salon, marchant dans la pièce à grandes enjambées ; il parlait avec animation et il agitait ses bras. Elle, je ne l'avais pas vue. Soudain il ressortit ; il paraissait encore plus nerveux qu'à son arrivée. En montant dans son fiacre, il tira une montre en or de son gousset :

» — Filez comme le vent ! cria-t-il. D'abord chez Gross et Hankey à Regent Street, puis à l'église Sainte-Monique dans Edgware Road. Une demi-guinée pour boire si vous faites la course en vingt minutes !

» Les voilà partis. Je me demande ce que je dois faire, si je ne ferais pas mieux de les suivre, quand débouche du chemin un coquet petit landau ; le cocher a son vêtement à demi boutonné, sa cravate sous l'oreille ; les attaches des harnais sortent des boucles ; le landau n'est même pas arrêté qu'elle jaillit du vestibule pour sauter dedans. Je ne l'ai vue que le temps d'un éclair, mais je peux vous affirmer que c'est une fort jolie femme, et qu'un homme serait capable de se faire tuer pour ce visage-là.

» — A l'église Sainte-Monique, John ! crie-t-elle. Et un demi-souverain si vous y arrivez en vingt minutes !

» C'est trop beau pour que je rate l'occasion. J'hésite : vais-je courir pour rattraper le landau et monter dedans, ou me cacher derrière. Au même moment, voici un fiacre. Le cocher regarde à deux fois le client déguenillé qui lui fait signe, mais je ne lui laisse pas le temps de réfléchir : je saute :

» — A l'église Sainte-Monique ! lui dis-je. Et un demi-souverain pour vous si vous y êtes en moins de vingt minutes !

» Il était midi moins vingt-cinq ; naturellement, ce qui se manigançait était clair comme le jour.

» Mon cocher fonça. Je ne crois pas que j'aie jamais été conduit aussi vite, mais les autres avaient pris de l'avance. Quand j'arrive, le fiacre et le landau sont arrêtés devant la porte ; leurs chevaux fument. Moi, je paie mon homme et me précipite dans l'église. Pas une âme à l'intérieur, sauf mes deux poursuivis et un prêtre en surplis qui semble discuter ferme. Tous trois se tiennent debout devant l'autel. Je prends par un bas-côté, et je flâne comme un oisif qui visite une église. Tout à coup, à ma grande surprise, mes trois personnages se tournent vers moi, et Godfrey Norton court à ma rencontre.

» — Dieu merci ! s'écrie-t-il. Vous ferez l'affaire. Venez ! Venez !

» — Pour quoi faire ?

» — Venez, mon vieux ! Il ne nous reste plus que trois minutes pour que ce soit légal.

» Me voilà à moitié entraîné vers l'autel et, avant que je sache où j'en suis, je m'entends bredouiller des réponses qui me sont chuchotées à l'oreille ; en fait, j'apporte ma garantie au sujet de choses dont je suis très ignorant et je sers de témoin pour un mariage entre Irène Adler, demoiselle, et Godfrey Norton, célibataire. La cérémonie se déroule en quelques instants ; après quoi je me fais congratuler d'un côté par le conjoint, de l'autre par la conjointe, tandis que le prêtre, en face, rayonne en me

regardant. Je crois que c'est la situation la plus absurde dans laquelle je me sois jamais trouvé ; lorsque je me la suis rappelée tout à l'heure, je n'ai pu m'empêcher de rire à gorge déployée. Sans doute y avait-il un quelconque vice de forme dans la licence de mariage, le prêtre devait absolument refuser de consacrer l'union sans un témoin, et mon apparition a probablement épargné au fiancé de courir les rues en quête d'un homme valable. La fiancée m'a fait cadeau d'un souverain, que j'entends porter à ma chaîne de montre en souvenir de cet heureux événement.

— L'affaire a pris une tournure tout à fait imprévue, dis-je. Mais ensuite ?

— Hé bien ! j'ai trouvé mes plans plutôt compromis. Tout donnait l'impression que le couple allait s'envoler immédiatement ; des mesures aussi énergiques que promptes s'imposaient donc. Cependant, à la porte de l'église, ils partirent chacun de leur côté : lui vers son quartier, elle pour sa villa.

» — Je sortirai à cinq heures comme d'habitude pour aller dans le parc, lui dit-elle en le quittant.

» Je n'entendis rien de plus. Ils se séparèrent, et moi, je m'en fus prendre des dispositions personnelles.

— Lesquelles ?

— D'abord quelques tranches de bœuf froid et un verre de bière, répondit-il en sonnant. J'étais trop occupé pour songer à me nourrir, et ce soir, je serai encore plus occupé, selon toute vraisemblance. A propos, docteur, j'aurais besoin de vos services.

— Vous m'en voyez réjoui.

— Cela ne vous gênerait pas de violer la loi ?

— Pas le moins du monde.

— Ni de risquer d'être arrêté ?

— Non, si la cause est bonne.

— Oh ! la cause est excellente !

— Alors je suis votre homme.

— J'étais sûr que je pourrais compter sur vous.

— Mais qu'est-ce que vous voulez au juste ?

— Quand Mme Turner aura apporté le plateau, je vous expliquerai. Maintenant, ajouta-t-il en se jetant sur la simple collation que sa propriétaire lui avait fait monter, je vais être obligé de parler la bouche pleine car je ne dispose pas de beaucoup de temps. Il est près de cinq heures. Dans deux heures nous devons nous trouver sur les lieux de l'action. Mlle Irène, ou plutôt Madame, revient de sa promenade à sept heures. Il faut que nous soyons à Briony Lodge pour la rencontrer.

— Et après, quoi ?

— Laissez le reste à mon initiative. J'ai déjà préparé ce qui doit arriver. Le seul point sur lequel je dois insister, c'est que vous n'interviendrez à aucun moment, quoi qu'il se passe.

— Je resterai neutre ?

— Vous ne ferez rien, absolument rien. Il y aura probablement pour moi quelques désagréments légers à encourir. Ne vous en mêlez point. Tout se terminera par mon transport dans la villa. Quatre ou cinq minutes plus tard, la fenêtre du salon sera ouverte. Vous devrez vous tenir tout près de cette fenêtre ouverte.

— Oui.

— Vous devrez me surveiller, car je serai visible.

— Oui.

— Et quand je lèverai ma main… comme ceci… vous lancerez dans la pièce ce que je vous remettrai pour le lancer et, en même temps, vous crierez au feu. Vous suivez bien ?

— Très bien.

— Il n'y a rien là de formidable, dit-il en prenant dans sa poche un long rouleau en forme de cigare. C'est une banale fusée fumigène ; à chaque extrémité elle est garnie d'une capsule automatiquement inflammable. Votre mission se réduit à ce que je vous ai dit. Quand vous crierez au feu, des tas de gens crieront à leur tour au feu. Vous pourrez alors vous promener jusqu'au bout de la rue, où je vous rejoindrai dix minutes plus tard. J'espère que je me suis fait comprendre ?

— J'ai à ne pas intervenir, à m'approcher de la fenêtre, à guetter votre signal, à lancer à l'intérieur cet objet, puis à crier au feu, et à vous attendre au coin de la rue.

— Exactement.

— Vous pouvez donc vous reposer sur moi.

— Parfait ! Il est presque temps que je me prépare pour le nouveau rôle que je vais jouer.

Il disparut dans sa chambre, et réapparut au bout de quelques minutes sous l'aspect d'un clergyman non conformiste, aussi aimable que simplet. Son grand chapeau noir, son ample pantalon, sa cravate blanche, son sourire sympathique et tout son air de curiosité bienveillante étaient dignes du plus grand comédien. Holmes n'avait pas seulement changé de costume : son expression, son allure, son âme même semblaient se modifier à chaque nouveau rôle. Le théâtre a perdu un merveilleux acteur, de même que la science a perdu un logicien de premier ordre, quand il s'est spécialisé dans les affaires criminelles.

Nous quittâmes Baker Street à six heures et quart pour nous trouver à sept heures moins dix dans Serpentine Avenue. La nuit tombait déjà. Les lampes venaient d'être allumées quand nous passâmes devant Briony Lodge. La maison ressemblait tout à fait à celle que m'avait décrite Holmes, mais les alentours n'étaient pas aussi déserts que je me l'étais imaginé : ils étaient pleins au contraire, d'une animation qu'on n'aurait pas espérée dans la petite rue d'un quartier tranquille. A un angle, il y avait un groupe de pauvres hères qui fumaient et riaient ; non loin, un rémouleur avec sa roue, puis deux gardes en flirt avec une nourrice ; enfin, plusieurs jeunes gens bien vêtus, cigare aux lèvres, flânaient sur la route.

— Voyez ! observa Holmes tandis que nous faisions les cent pas le long de la façade de la villa. Ce mariage simplifie plutôt les choses : la photographie devient maintenant une arme à double tranchant. Il y a de fortes chances pour qu'elle ne tienne pas plus à ce que M. Godfrey Norton la voie, que notre client ne tient à ce qu'elle tombe sous les yeux de sa princesse. Mais où la découvrirons-nous ?

— Oui. Où ?

— Il est probable qu'elle ne la transporte pas avec elle, puisqu'il s'agit d'une photographie format album, trop grande par conséquent pour qu'une dame la dissimule aisément dans ses vêtements. Elle sait que le roi est capable de lui tendre une embuscade et de la faire fouiller puisqu'il l'a déjà osé. Nous pouvons donc tenir pour certain qu'elle ne la porte pas sur elle.

— Où, alors ?

— Elle a pu la mettre en sécurité chez son banquier ou chez son homme de loi. Cette double possibilité existe, mais je ne crois ni à l'une ni à l'autre. Les femmes sont naturellement cachottières, et elles aiment pratiquer elles-mêmes leur manie. Pourquoi l'aurait-elle remise à quelqu'un ? Autant elle peut se fier à bon droit à sa propre vigilance, autant elle a de motifs de se méfier des influences, politiques ou autres, qui risqueraient de s'exercer sur un homme d'affaires. Par ailleurs, rappelez-vous qu'elle a décidé de s'en servir sous peu : la photographie doit donc se trouver à portée de sa main, chez elle.

— Mais elle a été cambriolée deux fois !

— Bah ! Les cambrioleurs sont passés à côté...

— Mais comment chercherez-vous ?

— Je ne chercherai pas.

— Alors ?...

— Je me débrouillerai pour qu'elle me la montre.

— Elle refusera !

— Elle ne pourra pas faire autrement... Mais j'entends le roulement de la voiture ; c'est son landau. A présent, suivez mes instructions à la lettre.

Tandis qu'il parlait, les lanternes latérales de la voiture amorcèrent le virage dans l'avenue ; c'était un très joli petit landau ! Il roula jusqu'à la porte de Briony Lodge ; au moment où il s'arrêtait, l'un des flâneurs du coin se précipita pour ouvrir la portière dans l'espoir de recevoir une pièce de monnaie ; mais il fut écarté d'un coup de coude par un autre qui avait couru dans la même intention. Une violente dispute s'engagea alors ; les deux gardes prirent parti pour l'un des vagabonds, et le rémouleur soutint l'autre de la voix et du geste. Des coups furent échangés, et en un instant la dame qui avait sauté à bas de la voiture se trouva au centre d'une mêlée confuse d'hommes qui se battaient à grands coups de poing et de gourdin. Holmes, pour protéger la dame, se jeta parmi les combattants ; mais juste comme il parvenait à sa hauteur, il poussa un cri et s'écroula sur le sol, le visage en sang. Lorsqu'il tomba, les gardes s'enfuirent dans une direction, et les vagabonds dans la direction opposée ; les gens mieux vêtus, qui avaient assisté à la bagarre sans s'y mêler, se décidèrent alors à porter secours à la dame ainsi qu'au blessé. Irène Adler, comme je l'appelle encore, avait bondi sur les marches ; mais elle demeura sur le perron pour regarder ; son merveilleux visage profilait beaucoup de douceur sous l'éclairage de l'entrée.

— Est-ce que ce pauvre homme est gravement blessé ? s'enquit-elle.

— Il est mort ! crièrent plusieurs voix.

— Non, non, il vit encore ! hurla quelqu'un.

Mais il mourra sûrement avant d'arriver à l'hôpital.

— Voilà un type courageux ! dit une femme. Ils auraient pris à la dame sa bourse et sa montre s'il n'était pas intervenu. C'était une bande, oui ! et une rude bande ! Ah ! il se ranime maintenant...

— On ne peut pas le laisser dans la rue. Peut-on le transporter chez vous, madame ?

— Naturellement ! Portez-le dans le salon ; il y a un lit de repos confortable. Par ici, s'il vous plaît !

Lentement, avec une grande solennité, il fut transporté à l'intérieur de Briony Lodge et déposé dans la pièce principale : de mon poste près de la fenêtre, j'observai les allées et venues. Les lampes avaient été allumées, mais les stores n'avaient pas été tirés, si bien que je pouvais apercevoir Holmes étendu sur le lit. J'ignore s'il était à cet instant, lui, bourrelé de remords, mais je sais bien que moi, pour ma part, je ne m'étais jamais senti aussi honteux que quand je vis quelle splendide créature était la femme contre laquelle nous conspirions, et quand j'assistai aux soins pleins de grâce et de bonté qu'elle prodiguait au blessé. Pourtant ç'aurait été une trahison (et la plus noire) à l'égard de Holmes si je m'étais départi du rôle qu'il m'avait assigné. J'endurcis donc mon cœur et empoignai ma fusée fumigène. « Après tout, me dis-je, nous ne lui faisons aucun mal, et nous sommes en train de l'empêcher de nuire à autrui. »

Holmes s'était mis sur son séant, et je le vis s'agiter comme un homme qui manque d'air.

Une bonne courut ouvrir la fenêtre. Au même moment il leva la main : c'était le signal. Je jetai ma fusée dans la pièce et criai :

— Au feu !

Le mot avait à peine jailli de ma gorge que toute la foule des badauds qui stationnaient devant la maison, reprit mon cri en chœur :

— Au feu !

Des nuages d'une fumée épaisse moutonnaient dans le salon avant de s'échapper par la fenêtre ouverte. J'aperçus des silhouettes qui couraient dans tous les sens ; puis j'entendis la voix de Holmes affirmer que c'était une fausse alerte. Alors je me glissai parmi la foule et je marchai jusqu'au coin de la rue. Au bout d'une dizaine de minutes, j'eus la joie de sentir le bras de mon ami sous le mien et de quitter ce mauvais théâtre. Il marchait rapidement et en silence ; ce fut seulement lorsque nous empruntâmes l'une des paisibles petites rues qui descendent vers Edgware Road qu'il se décida à parler.

— Vous avez très bien travaillé, docteur ! me dit-il. Rien n'aurait mieux marché.

— Vous avez la photographie ?

— Je sais où elle est.

— Et comment l'avez-vous appris ?

— Elle me l'a montrée, comme je vous l'avais annoncé.

— Je n'y comprends goutte, Holmes.

— Je n'ai pas l'intention de jouer avec vous au mystérieux, répondit-il en riant. L'affaire fut tout à fait simple. Vous, bien sûr, vous avez deviné que tous les gens de la rue étaient mes complices : je les avais loués pour la soirée.

— Je l'avais deviné... à peu près.
— Quand se déclencha la bagarre, j'avais de la peinture rouge humide dans la paume de ma main. Je me suis précipité, je suis tombé, j'ai appliqué ma main contre mon visage, et je suis devenu le piteux spectacle que vous avez eu sous les yeux. C'est une vieille farce.
— Ça aussi, je l'avais soupçonné !
— Ils m'ont donc transporté chez elle ; comment aurait-elle pu refuser de me laisser entrer ? Que pouvait-elle objecter ? J'ai été conduit dans son salon, qui était la pièce, selon moi, suspecte. C'était ou le salon ou sa chambre, et j'étais résolu à m'en assurer. Alors j'ai été couché sur un lit, j'ai réclamé un peu d'air, on a dû ouvrir la fenêtre, et vous avez eu votre chance.
— Comment cela vous a-t-il aidé ?
— C'était très important ! Quand une femme croit que le feu est à sa maison, son instinct lui commande de courir vers l'objet auquel elle attache la plus grande valeur pour le sauver des flammes. Il s'agit là d'une impulsion tout à fait incontrôlable, et je m'en suis servi plus d'une fois : tenez, dans l'affaire du Château d'Arnsworth, et aussi dans le scandale de la substitution de Darlington. Une mère se précipite vers son enfant ; une demoiselle vers son coffret à bijoux. Quant à notre dame d'aujourd'hui, j'étais bien certain qu'elle ne possédait chez elle rien de plus précieux que ce dont nous étions en quête. L'alerte fut admirablement donnée. La fumée et les cris auraient brisé des nerfs d'acier ! Elle a magnifiquement réagi. La photographie se trouve dans un renfoncement du mur

derrière un panneau à glissières juste au-dessus de la sonnette. Elle y fut en un instant et je pus apercevoir l'objet au moment où elle l'avait à demi sorti. Quand je criai que c'était une fausse alerte, elle le replaça, ses yeux tombèrent sur la fusée, elle courut au-dehors, et je ne la revis plus. Je me mis debout, et après force excuses, sortis de la maison. J'ai bien songé à m'emparer tout de suite de la photographie, mais le cocher est entré ; il me surveillait de près ; je crus plus sage de ne pas me risquer : un peu trop de précipitation aurait tout compromis !

— Et maintenant ? demandai-je.

— Pratiquement notre enquête est terminée. J'irai demain lui rendre visite avec le roi et vous-même, si vous daignez nous accompagner. On nous conduira dans le salon pour attendre la maîtresse de maison ; mais il est probable que quand elle viendra elle ne trouvera plus ni nous ni la photographie. Sa Majesté sera sans doute satisfaite de la récupérer de ses propres mains.

— Et quand lui rendrons-nous visite ?

— A huit heures du matin. Elle ne sera pas encore levée, ni apprêtée, si bien que nous aurons le champ libre. Par ailleurs il nous faut être rapides, car ce mariage peut modifier radicalement ses habitudes et son genre de vie. Je vais télégraphier au roi.

Nous étions dans Baker Street, arrêtés devant la porte. Holmes cherchait sa clé dans ses poches lorsqu'un passant lui lança :

— Bonne nuit, monsieur Sherlock Holmes !

Il y avait plusieurs personnes sur le trottoir ; ce salut sembla venir néanmoins d'un jeune homme svelte qui avait passé très vite.

— Je connais cette voix, dit Holmes en regardant la rue faiblement éclairée. Mais je me demande à qui diable elle appartient !

III

Je dormis à Baker Street cette nuit-là ; nous étions en train de prendre notre café et nos toasts quand le roi de Bohême pénétra dans le bureau.

— C'est vrai ? Vous l'avez eue ? cria-t-il en empoignant Holmes par les deux épaules et en le dévisageant intensément.

— Pas encore.

— Mais vous avez bon espoir ?

— J'ai espoir.

— Alors, allons-y. Je ne tiens plus en place.

— Il nous faut un fiacre.

— Non ; mon landau attend en bas.

— Cela simplifie les choses.

Nous descendîmes et, une fois de plus, nous reprîmes la route de Briony Lodge.

— Irène Adler est mariée, annonça Holmes.

— Mariée ? Depuis quand ?

— Depuis hier.

— Mais à qui ?

— A un homme de loi qui s'appelle Norton.

— Elle ne l'aime pas. J'en suis sûr !

— J'espère qu'elle l'aime.

— Pourquoi l'espérez-vous ?

— Parce que cela éviterait à Votre Majesté de redouter tout ennui pour l'avenir. Si cette dame aime son mari, c'est qu'elle n'aime pas Votre Majesté. Si elle n'aime pas Votre

Majesté, il n'y a aucune raison pour qu'elle se mette en travers des plans de Votre Majesté.

— Vous avez raison. Et cependant... Ah ! je regrette qu'elle n'ait pas été de mon rang ! Quelle reine elle aurait fait !

Il tomba dans une rêverie maussade qui dura jusqu'à Serpentine Avenue.

La porte de Briony Lodge était ouverte, et une femme âgée se tenait sur les marches. Elle nous regarda descendre du landau avec un œil sardonique.

— M. Sherlock Holmes, je pense ? interrogea-t-elle.

— Je suis effectivement M. Holmes, répondit mon camarade en la considérant avec un étonnement qui n'était pas joué.

— Ma maîtresse m'a dit que vous viendriez probablement ce matin. Elle est partie, avec son mari, au train de cinq heures quinze à Charing Cross, pour le continent.

— Quoi ! s'écria Sherlock Holmes en reculant. Voulez-vous dire qu'elle a quitté l'Angleterre ?

Son visage était décomposé, blanc de déception et de surprise.

— Elle ne reviendra jamais !

— Et les papiers ? gronda le roi. Tout est perdu !

— Nous allons voir...

Il bouscula la servante et se rua dans le salon ; le roi et moi nous nous précipitâmes à sa suite. Les meubles étaient dispersés à droite et à gauche, les étagères vides, les tiroirs ouverts : il était visible que la dame avait fait ses malles en toute hâte avant de s'enfuir. Holmes courut vers la sonnette, fit glisser un petit panneau, plongea sa main dans le creux mis à découvert, retira une photographie et une lettre. La photographie était celle d'Irène Adler elle-même en robe du soir. La lettre portait la suscription suivante : *A Sherlock Holmes, qui passera prendre.* Mon ami déchira l'enveloppe ; et tous les trois nous nous penchâmes sur la lettre ; elle était datée de la veille à minuit, et elle était rédigée en ces termes :

Mon cher Monsieur Sherlock Holmes,

Vous avez réellement bien joué ! Vous m'avez complètement surprise. Je n'avais rien soupçonné, même après l'alerte au feu. Ce n'est qu'ensuite, lorsque j'ai réfléchi que je m'étais trahie moi-même, que j'ai commencé à m'inquiéter. J'étais prévenue contre vous depuis plusieurs mois. On m'avait informée que si le roi utilisait un policier, ce serait certainement à vous qu'il ferait appel. Et on m'avait donné votre adresse. Pourtant, avec votre astuce, vous m'avez amenée à vous révéler ce que vous désiriez savoir. Lorsque des soupçons me sont venus, j'ai été prise de remords : penser du mal d'un clergyman aussi âgé, aussi respectable, aussi galant ! Mais, vous le savez, j'ai été entraînée, moi aussi, à jouer la comédie ; et le costume masculin m'est familier : j'ai même souvent profité de la liberté d'allure qu'il autorise. Aussi ai-je mandé à John, le cocher, de vous surveiller ; et moi, je suis montée dans ma garde-robe, j'ai enfilé mon vêtement de sortie, comme je l'appelle, et je suis descendue au moment précis où vous vous glissiez dehors.

Hé bien ! je vous ai suivi jusqu'à votre porte, et j'ai ainsi acquis la certitude que ma personne intéressait vivement le célèbre M. Sherlock Holmes. Alors, avec quelque imprudence, je vous ai souhaité une bonne nuit, et j'ai couru conférer avec mon mari.

Nous sommes tombés d'accord sur ceci : la fuite était notre seule ressource pour nous défaire d'un adversaire aussi formidable. C'est pourquoi vous trouverez le nid vide lorsque vous viendrez demain. Quant à la photographie, que votre client cesse de s'en inquiéter ! J'aime et je suis aimée. J'ai rencontré un homme meilleur que lui. Le roi pourra agir comme bon lui semblera sans avoir rien à redouter d'une femme qu'il a cruellement offensée. Je ne la garde par-devers moi que pour ma sauvegarde personnelle, pour conserver une arme qui me protégera toujours contre les ennuis qu'il pourrait chercher à me causer dans l'avenir. Je laisse ici une photographie qu'il lui plaira peut-être d'emporter. Et je demeure, cher Monsieur Sherlock Holmes, très sincèrement vôtre,

Irène Norton, née Adler.

— Quelle femme ! Oh ! quelle femme ! s'écria le roi de Bohême quand nous eûmes achevé la lecture de cette épître. Ne vous avais-je pas dit qu'elle était aussi prompte que résolue ? N'aurait-elle pas été une reine admirable ? Quel malheur qu'elle ne soit pas de mon rang !

— D'après ce que j'ai vu de la dame, elle ne semble pas en vérité du même niveau que Votre

Majesté ! répondit froidement Holmes. Je regrette de n'avoir pas été capable de mener cette affaire à une meilleure conclusion.

— Au contraire, cher monsieur ! cria le roi. Ce dénouement m'enchante : je sais qu'elle tient toujours ses promesses ! La photographie est à présent aussi en sécurité que si elle avait été jetée au feu.

— Je suis heureux d'entendre Votre Majesté parler ainsi.

— J'ai contracté une dette immense envers vous ! Je vous en prie ; dites-moi de quelle manière je puis vous récompenser. Cette bague...

Il fit glisser de son doigt une émeraude et la posa sur la paume ouverte de sa main.

— Votre Majesté possède quelque chose que j'évalue à plus cher, dit Holmes.

— Dites-moi quoi : c'est à vous.

— Cette photographie !

Le roi le contempla avec ahurissement.

— La photographie d'Irène ? Bien sûr, si vous y tenez !

— Je remercie Votre Majesté. Maintenant, l'affaire est terminée. J'ai l'honneur de souhaiter à Votre Majesté une bonne matinée.

Il s'inclina et se détourna sans remarquer la main que lui tendait le roi. Bras dessus, bras dessous, nous regagnâmes Baker Street.

Et voici pourquoi un grand scandale menaçait le royaume de Bohême, et comment les plans de M. Sherlock Holmes furent déjoués par une femme. Il avait l'habitude d'ironiser sur la rouerie féminine ; depuis ce jour il évite de le faire. Et quand il parle d'Irène Adler, ou quand il fait allusion à sa photographie, c'est toujours sous le titre très honorable de *la* femme.

LA LIGUE DES ROUQUINS

Un jour de l'automne dernier, je m'étais rendu chez mon ami Sherlock Holmes. Je l'avais trouvé en conversation sérieuse avec un gentleman d'un certain âge, de forte corpulence, rubicond, et pourvu d'une chevelure d'un rouge flamboyant. Je m'excusai de mon intrusion et j'allais me retirer, lorsque Holmes me tira avec vivacité dans la pièce et referma la porte derrière moi.

— Vous ne pouviez pas choisir un moment plus propice pour venir me voir, mon cher Watson ! dit-il avec une grande cordialité.

— Je craignais de vous déranger en affaires.

— Je suis en affaires. Très en affaires.

— Alors je vous attendrai à côté...

— Pas du tout... Ce gentleman, monsieur Wilson, a été mon associé et il m'a aidé à résoudre beaucoup de problèmes. Sans aucun doute il me sera d'une incontestable utilité pour celui que vous me soumettez.

Le gentleman corpulent se souleva de son

fauteuil et me gratifia d'un bref salut : une interrogation rapide brilla dans ses petits yeux cernés de graisse.

— Essayez mon canapé, fit Holmes en se laissant retomber dans son fauteuil. (Il rassembla les extrémités de ses dix doigts comme il le faisait fréquemment lorsqu'il avait l'humeur enquêteuse.) Je sais, mon cher Watson, que vous partagez la passion que je porte à ce qui est bizarre et nous entraîne au-delà des conventions ou de la routine quotidienne. Je n'en veux pour preuve que votre enthousiasme à tenir la chronique de mes petites aventures... en les embellissant parfois, ne vous en déplaise !

— Les affaires où vous avez été mêlé m'ont beaucoup intéressé, c'est vrai !

— Vous rappelez-vous ce que je remarquais l'autre jour ? C'était juste avant de nous plonger dans le très simple problème de Mlle Mary Sutherland... Je disais que la vie elle-même, bien plus audacieuse que n'importe quelle imagination, nous pourvoit de combinaisons extraordinaires et de faits très étranges. Il faut toujours revenir à la vie !

— Proposition que je me suis permis de contester...

— Vous l'avez discutée, docteur ; mais vous devrez néanmoins vous ranger à mon point de vue ! Sinon j'entasserai les preuves sous votre nez jusqu'à ce que votre raison vacille et que vous vous rendiez à mes arguments... Cela dit, M. Jabez Wilson ici présent a été assez bon pour passer chez moi : il a commencé un récit qui promet d'être l'un des plus sensationnels que j'aie entendus ces derniers temps. Ne m'avez-vous pas entendu dire que les choses les plus étranges et pour ainsi dire uniques étaient très souvent mêlées non à de grands crimes, mais à de petits crimes ? et, quelquefois, là où le doute était possible si aucun crime n'avait été positivement commis ? Jusqu'ici je suis incapable de préciser si l'affaire en question annonce, ou non, un crime ; pourtant les circonstances sont certainement exceptionnelles. Peut-être M. Wilson aura-t-il la grande obligeance de recommencer son récit ?... Je ne vous le demande pas uniquement parce que mon ami le docteur Watson n'a pas entendu le début : mais la nature particulière de cette histoire me fait désirer avoir de votre bouche un maximum de détails. En règle générale, lorsque m'est donnée une légère indication sur le cours des événements, je puis me guider ensuite par moi-même : des milliers de cas semblables me reviennent en mémoire. Mais je suis forcé de convenir en toute franchise qu'aujourd'hui je me trouve devant un cas très à part.

Le client corpulent bomba le torse avec une fierté visible, avant de tirer de la poche intérieure de son pardessus un journal sale et chiffonné. Tandis qu'il cherchait au bas de la colonne des petites annonces, sa tête s'était inclinée en avant, et je pus le regarder attentivement : tentant d'opérer selon la manière de mon compagnon, je m'efforçai de réunir quelques remarques sur le personnage d'après sa mise et son allure.

Mon inspection ne me procura pas beaucoup de renseignements. Notre visiteur présentait tous les signes extérieurs d'un commerçant britannique moyen : il était obèse, il pontifiait, il avait l'esprit lent. Il portait un pantalon à carreaux qui aurait fait les délices d'un berger (gris et terriblement ample), une redingote noire pas trop propre et déboutonnée sur le devant, un gilet d'un brun douteux traversé d'une lourde chaîne cuivrée, et un carré de métal troué qui brimbalait comme un pendentif. De plus, un haut-de-forme effiloché et un manteau jadis marron présentement pourvu d'un col de velours gisaient sur une chaise. En résumé, à le regarder comme je le fis, cet homme n'avait rien de remarquable, si ce n'étaient sa chevelure extra-rouge et l'expres-

sion de chagrin et de mécontentement qui se lisait sur ses traits.

L'œil vif de Sherlock Holmes me surprit dans mon inspection, et il secoua la tête en souriant lorsqu'il remarqua mon regard chargé de questions.

— En dehors des faits évidents que M. Wilson a quelque temps pratiqué le travail manuel, qu'il prise, qu'il est franc-maçon, qu'il est allé en Chine, et qu'il a beaucoup écrit ces derniers temps, je ne puis déduire rien d'autre ! dit Holmes.

M. Jabez Wilson sursauta dans son fauteuil ; il garda le doigt sur son journal, mais il dévisagea mon camarade avec ahurissement.

— Comment diable savez-vous tout cela, monsieur Holmes ? Comment savez-vous, par exemple, que j'ai pratiqué le travail manuel ? C'est vrai comme l'Evangile ! J'ai débuté dans la vie comme charpentier à bord d'un bateau.

— Vos mains me l'ont dit, cher monsieur. Votre main droite est presque deux fois plus large que la gauche. Vous avez travaillé avec elle, et ses muscles ont pris de l'extension.

— Bon. Mais que je prise ? et que je suis franc-maçon ?

— Je ne ferai pas injure à votre intelligence en vous disant comment je l'ai vu ; d'autant plus que, en contradiction avec le règlement de votre ordre, vous portez en guise d'épingle de cravate un arc et un compas.

— Ah ! bien sûr ! Je l'avais oublié. Mais pour ce qui est d'écrire ?...

— Que peut indiquer d'autre cette manchette droite si lustrée ? et cette tache claire près du coude gauche, à l'endroit où vous posez votre bras sur votre bureau ?

— Soit. Mais la Chine ?

— Légèrement au-dessus de votre poignet droit, il y a un tatouage : le tatouage d'un poisson, qui n'a pu être fait qu'en Chine. J'ai un peu étudié les tatouages, et j'ai même apporté ma contribution à la littérature qui s'est occupée d'eux. Cette façon de teindre en rose délicat les écailles d'un poisson ne se retrouve qu'en Chine. Quand, de surcroît, je remarque une pièce de monnaie chinoise pendue à votre chaîne de montre, le doute ne m'est plus permis.

M. Jabez Wilson eut un rire gras :

— Hé bien ! c'est formidable ! Au début, j'ai cru que vous étiez un as, mais je m'aperçois que ça n'était pas si malin, au fond !

— Je commence à me demander, Watson, dit Holmes, si je n'ai pas commis une grave erreur en m'expliquant. *Omne ignotum pro magnifico,* vous savez ? et ma petite réputation sombrera si je me laisse aller à ma candeur naturelle... Vous ne pouvez pas trouver l'annonce, monsieur Wilson ?

— Si, je l'ai à présent, répondit-il, avec son gros doigt rougeaud posé au milieu de la colonne. La voici. C'est l'origine de tout. Lisez-la vous-même, monsieur.

Je pris le journal et je lus :

« A la Ligue des rouquins. — En considération du legs de feu Ezechiah Hopkins, de Lebanon, Penn, USA, une nouvelle vacance est ouverte qui permettrait à un membre de la Ligue de gagner un salaire de quatre livres par

semaine pour un emploi purement nominal. Tous les rouquins sains de corps et d'esprit, âgés de plus de vingt et un ans, peuvent faire acte de candidature. Se présenter personnellement lundi, à onze heures, à M. Duncan Ross, aux bureaux de la Ligue, 7, Pope's Court, Fleet Street. »

— Qu'est-ce que ceci peut bien signifier ? articulai-je après avoir relu cette annonce extraordinaire.

Holmes gloussa, et il se tortilla dans son fauteuil : c'était chez lui un signe d'enjouement.

— Nous voici hors des sentiers battus, n'est-ce pas ? Maintenant, monsieur Wilson, venons-en aux faits. Racontez-nous tout : sur vous-même, sur votre famille et sur les conséquences qu'entraîna cette annonce sur votre existence. Docteur, notez d'abord le nom du journal et la date.

— *Morning Chronicle* du 11 août 1890. Il y a donc deux mois de cela.

— Parfait ! A vous, monsieur Wilson.

— Hé bien ! les choses sont exactement celles que je viens de vous dire, monsieur Holmes ! dit Jabez Wilson en s'épongeant le front. Je possède une petite affaire de prêts sur gages à Coburg Square, près de la City. Ce n'est pas une grosse affaire : ces dernières années, elle m'a tout juste rapporté de quoi vivre. J'avais pris avec moi deux commis ; mais à présent un seul me suffit. Et je voudrais avoir une affaire qui marche pour le payer convenablement, car il travaille à mi-traitement, comme débutant.

— Comment s'appelle cet obligeant jeune homme ? s'enquit Holmes.

— Vincent Spaulding, et il n'est plus tellement jeune. Difficile de préciser son âge !... Je ne pourrais pas souhaiter un meilleur collaborateur, monsieur Holmes. Et je sais très bien qu'il est capable de faire mieux, et de gagner le double de ce que je lui donne. Mais après tout, s'il s'en contente, pourquoi lui mettrais-je d'autres idées dans la tête ?

— C'est vrai : pourquoi ? Vous avez la chance d'avoir un employé qui accepte d'être payé au-dessous du tarif ; à notre époque il n'y a pas beaucoup d'employeurs qui pourraient en dire autant. Mais est-ce que votre commis est tout aussi remarquable, dans son genre, que l'annonce de tout à l'heure ?

— Oh ! il a ses défauts, bien sûr ! dit M. Wilson. Par exemple, je n'ai jamais vu un pareil fanatique de la photographie. Il disparaît soudain avec un appareil, alors qu'il devrait plutôt chercher à enrichir son esprit ; puis il revient, et c'est pour foncer dans la cave, tel un lièvre dans son terrier, où il développe ses photos. Voilà son principal défaut ; mais dans l'ensemble il travaille bien. Je ne lui connais aucun vice.

— Il est encore avec vous, je présume ?

— Oui, monsieur. Lui, plus une gamine de quatorze ans qui nettoie et fait un peu de cuisine. C'est tout ce qu'il y a chez moi, car je suis veuf et je n'ai jamais eu d'enfants. Nous vivons tous trois, monsieur, très paisiblement ; et au moins, à défaut d'autre richesse, nous avons un toit et payons comptant.

» Nos ennuis ont commencé avec cette annonce. Spaulding est arrivé au bureau, il y a juste huit semaines aujourd'hui, avec le journal, et il m'a dit :

» — Je voudrais bien être un rouquin, monsieur Wilson !

» — Un rouquin ? et pourquoi ? lui ai-je demandé.

» — Parce qu'il y a un poste vacant à la Ligue des rouquins et que le type qui sera désigné gagnera une petite fortune. J'ai l'impression qu'il y a plus de postes vacants que de candidats, et que les administrateurs ne savent pas quoi faire de l'argent du legs. Si seulement mes cheveux consentaient à changer de couleur, ça serait une belle planque pour moi !

» — Quoi ? quoi ? qu'est-ce que tu veux dire ?... demandai-je. Parce que, monsieur Holmes, je suis très casanier, moi ; et comme les affaires viennent à mon bureau sans que j'aie besoin d'aller au-devant d'elles, la fin de la semaine arrive souvent avant que j'aie mis un pied dehors. De cette façon je ne me tiens pas très au courant de ce qui se passe à l'extérieur, mais je suis toujours content d'avoir des nouvelles.

» — Jamais entendu parler de la Ligue des rouquins ? interroge Spaulding en écarquillant les yeux.

» — Jamais !

» — Hé bien ! ça m'épate ! En tout cas, vous pourriez obtenir l'un des postes vacants.

» — Et qu'est-ce que ça me rapporterait ?

» — Oh ! pas loin de deux cents livres par an ! Et le travail est facile : il n'empêche personne de s'occuper en même temps d'autre chose.

» Bon. Vous devinez que je dresse l'oreille ; d'autant plus que depuis quelques années les affaires sont très calmes. Deux cents livres de plus ? cela m'arrangerait bien !

» — Vide ton sac ! dis-je à mon commis.

» — Voilà... (Il me montre le journal et l'annonce.) Vous voyez bien qu'à la Ligue il y a un poste vacant ; ils donnent même l'adresse où se présenter. Pour tant que je me souvienne, la Ligue des rouquins a été fondée par un millionnaire américain, du nom d'Ezechiah Hopkins. C'était un type qui avait des manies : il avait des cheveux roux et il aimait bien tous les rouquins ; quand il mourut, on découvrit qu'il avait laissé son immense fortune à des curateurs qui avaient pour instruction de fournir des emplois de tout repos aux rouquins. D'après ce que j'ai entendu dire, on gagne beaucoup d'argent pour ne presque rien faire.

» — Mais, dis-je, des tas et des tas de rouquins vont se présenter ?

» — Pas tant que vous pourriez le croire.

D'ailleurs c'est un job qui est pratiquement réservé aux Londoniens. L'Américain a démarré de Londres quand il était jeune, et il a voulu témoigner sa reconnaissance à cette bonne vieille ville. De plus, on m'a raconté qu'il était inutile de se présenter si l'on avait des cheveux d'un roux trop clair ou trop foncé ; il faut avoir des cheveux vraiment rouges : rouges flamboyants, ardents, brûlants ! Après tout, monsieur Wilson, qu'est-ce que vous risquez à vous présenter ? Vous n'avez qu'à y aller : toute la question est de savoir si vous estimez que quelques centaines de livres valent le dérangement d'une promenade.

» C'est un fait, messieurs, dont vous pouvez vous rendre compte : j'ai des cheveux d'une couleur voyante, mais pure. Il m'a donc semblé que, dans une compétition entre rouquins, j'avais autant de chances que n'importe qui. Vincent Spaulding paraissait si au courant que je me dis qu'il pourrait m'être utile : alors je lui commandai de fermer le bureau pour la journée et de venir avec moi. Un jour de congé n'a jamais fait peur à un commis : nous partîmes donc tous les deux pour l'adresse indiquée par le journal.

» Je ne reverrai certainement jamais un spectacle pareil, monsieur Holmes ! Venus du nord, du sud, de l'est, de l'ouest, tous les hommes qui avaient une vague teinte de roux dans leurs cheveux s'étaient précipités vers la City. Fleet Street était bondé de rouquins, Pope's Court ressemblait à un chargement d'oranges. Je n'aurais pas cru qu'une simple petite annonce déplacerait tant de gens ! Toutes les nuances étaient représentées : jaune paille, citron, orange, brique, setter irlandais, argile, foie malade… Mais Spaulding avait raison : il n'y en avait pas beaucoup à posséder une chevelure réellement rouge et flamboyante. Lorsque je vis toute cette cohue, j'aurais volontiers renoncé ; mais Spaulding ne voulut rien entendre. Comment se débrouilla-t-il pour me pousser, me tirer, me faire fendre la foule et m'amener jusqu'aux marches qui conduisaient au bureau, je ne saurais le dire ! Dans l'escalier, le flot des gens qui montaient pleins d'espérance côtoyait le flot de ceux qui redescendaient blackboulés ; bientôt nous pénétrâmes dans le bureau.

— C'est une aventure passionnante ! déclara Holmes tandis que son client s'interrompait pour rafraîchir sa mémoire à l'aide d'une bonne prise de tabac. Je vous en prie, continuez votre récit. Vous ne pouvez pas savoir à quel point vous m'intéressez !

— Dans le bureau, reprit Jabez Wilson, le mobilier se composait de deux chaises de bois et d'une table en sapin ; derrière cette table était assis un petit homme ; il était encore plus rouquin que moi. A chaque candidat qui défilait devant lui, il adressait quelques paroles, mais il s'arrangeait toujours pour trouver un défaut éliminatoire. Obtenir un emploi ne paraissait pas du tout à la portée de n'importe qui, à cette ligue ! Pourtant, quand vint notre tour, le petit homme me fit un accueil plus chaleureux qu'aux autres. Il referma la porte derrière nous ; nous eûmes ainsi la possibilité de discuter en privé.

» — M. Jabez Wilson ambitionne, déclara

mon commis, d'obtenir le poste vacant à la Ligue.

» — Ambition qui me semble très légitime! répondit l'autre. Il possède à première vue les qualités requises, et même je ne me rappelle pas avoir vu quelque chose d'aussi beau!

» Il recula d'un pas, pencha la tête de côté, et contempla mes cheveux avec une sorte de tendresse. Je commençai à ne plus savoir où me mettre. Tout à coup il plongea littéralement en avant, me secoua la main et, avec une chaleur extraordinaire, me félicita de mon succès.

» — La moindre hésitation serait une injustice, dit-il. Vous voudrez bien m'excuser, cependant, si je prends cette précaution...

» Il s'était emparé de ma tignasse, et il la tirait si vigoureusement à deux mains que je ne pus réprimer un hurlement de douleur.

» — Il y a de l'eau dans vos yeux, dit-il en me relâchant. Tout est donc comme il faut que cela soit. Que voulez-vous! la prudence est nécessaire : deux fois nous avons été abusés par des perruques, et une fois par une teinture... Je pourrais vous raconter des histoires sur la poix de cordonnier qui vous dégoûteraient de la nature humaine!

» Il se pencha par la fenêtre pour annoncer, du plus haut de sa voix, que la place était prise Un sourd murmure de désappointement parcourut la foule qui s'égailla dans toutes les directions. Quelques secondes plus tard, il ne restait plus, dans Pope's Court, en fait de rouquins, que moi-même et mon directeur.

» — Je m'appelle Duncan Ross. Je suis moi-même l'un des bénéficiaires du fonds qu'a laissé notre noble bienfaiteur. Etes-vous marié, monsieur Wilson ? Avez-vous des enfants ?

» Je répondis que je n'avais ni femme ni enfant.

» La satisfaction disparut de son visage.

» — Mon Dieu ! soupira-t-il. Voilà qui est très grave ! Je suis désolé d'apprendre que vous n'avez ni femme ni enfants. Le fonds est destiné, bien entendu, non seulement à maintenir la race des rouquins, mais aussi à aider à sa propagation et à son extension. C'est un grand malheur que vous soyez célibataire !

» Ma figure s'allongea, monsieur Holmes ; je crus que j'allais perdre cette place. Après avoir médité quelques instants, il me dit que néanmoins je demeurais agréé.

» — S'il s'agissait d'un autre, déclara-t-il, je serais inflexible. Mais nous devons nous montrer indulgents à l'égard d'un homme qui a de tels cheveux. Quand serez-vous à même de prendre votre poste ?

» — Hé bien ! c'est un petit peu délicat, car j'ai déjà une occupation.

» — Oh ! ne vous tracassez pas à ce sujet, monsieur Wilson ! dit Vincent Spaulding. Je veillerai sur votre affaire à votre place.

» — Quelles seraient mes heures de travail ? demandai-je.

» — De dix heures à deux heures.

» — Vous savez, monsieur Holmes : les affaires d'un prêteur sur gages se traitent surtout le soir, spécialement le jeudi et le vendredi, qui précèdent le jour de la paie. C'est pourquoi cela me convenait tout à fait de gagner un peu d'argent le matin ! De plus, mon commis était

un brave garçon, sur qui je pouvais compter.

» — D'accord pour les heures, dis-je. Et pour l'argent ?

» — Vous toucherez quatre livres par semaine.

» — Pour quel travail ?

» — Le travail est purement nominal.

» — Qu'est-ce que vous entendez par « purement nominal » ?

» — Hé bien ! vous devrez être présent au bureau pendant vos heures. Si vous sortez, le contrat sera automatiquement rompu sans recours. Le testament est formel là-dessus. Pour peu que vous bougiez du bureau entre dix heures et deux heures, vous ne vous conformeriez pas à cette condition.

» — Il ne s'agit que de quatre heures par jour. Je ne devrais donc même pas songer à sortir.

» — Aucune excuse ne sera acceptée, précisa M. Duncan Ross : ni une maladie, ni votre affaire personnelle, ni rien ! Vous devrez rester ici, faute de quoi vous perdrez votre emploi.

» — Et le travail ?

» — Il consiste à recopier l'*Encyclopédie britannique*. Le premier volume est là. A vous de vous procurer votre encre, vos plumes et votre papier. Nous vous fournissons cette table et une chaise. Serez-vous prêt demain ?

» — Certainement.

» — Alors, au revoir, monsieur Jabez Wilson ; et encore une fois acceptez tous mes compliments pour la situation importante que vous avez conquise !

» Il s'inclina en me congédiant. Me voilà rentrant chez moi, accompagné de mon commis : je ne savais plus très bien ce que je faisais ou disais, tant j'étais heureux !

» Toute la journée, j'ai tourné et retourné l'affaire dans ma tête. Le soir, le cafard m'a pris. A force de réfléchir, je m'étais en effet persuadé que cette combinaison ne pouvait être qu'une mystification ou une supercherie d'envergure, mais je ne distinguais pas dans quel but. Il me semblait incroyable que quelqu'un pût laisser de semblables dispositions testamentaires, et impensable que des gens paient si cher un travail aussi simple que de recopier l'*Encyclopédie britannique.* Vincent Spaulding fit l'impossible pour me réconforter ; mais dans mon lit, je pris la décision de renoncer.

» Le lendemain matin, toutefois, je me dis que ce serait trop bête de ne pas voir d'un peu plus près de quoi il retournait. J'achetai donc une petite bouteille d'encre, une plume d'oie, quelques feuilles de papier écolier, puis je partis pour Pope's Court.

» Hé bien ! je dois dire qu'à mon grand étonnement tout se passa le plus correctement du monde. La table était dressée pour me recevoir ; M. Duncan Ross se trouvait là pour contrôler que je me mettais au travail. Il me fit commencer par la lettre A, et me laissa à ma besogne. Pourtant il revint me voir plusieurs fois pour le cas où j'aurais eu besoin de lui. A deux heures, il me souhaita une bonne journée, me félicita pour le travail que j'avais abattu, et quand je sortis il referma à clé la porte du bureau.

» Ce manège se répéta tous les jours, monsieur Holmes. Chaque samedi, mon directeur m'apportait quatre souverains d'or pour mon travail de la semaine. Le matin, j'étais là à dix heures et je partais l'après-midi à deux heures. M. Duncan Ross espaça peu à peu ses visites :

d'abord il ne vint plus qu'une fois le matin ; au bout d'un certain temps il n'apparut plus du tout. Naturellement je n'osais pas quitter la pièce un seul instant : je ne savais jamais à quel moment il arriverait ; l'emploi n'était pas compliqué, il me convenait à merveille : je ne voulais pas risquer de le perdre.

» Huit semaines s'écoulèrent ainsi. J'avais

écrit des tas de choses sur Abbé, Archer, Armure, Architecture, Attique, et je comptais être mis bientôt sur la lettre B. Je dépensai pas mal d'argent pour mon papier écolier, et j'avais presque bourré une étagère de mes grimoires, lorsque soudain tout cassa.

— Cassa ?

— Oui, monsieur ! Et pas plus tard que ce matin. Je suis allé à mon travail comme d'habitude à dix heures, mais la porte était fermée, cadenassée : sur le panneau était fiché un petit carré de carton. Le voici : lisez vous-même !

Il nous tendit un morceau de carton blanc, de la taille d'une feuille de bloc-notes. Je lus :

La Ligue des rouquins est dissoute.
9 octobre 1890.

Sherlock Holmes et moi considérâmes successivement ce bref faire-part et le visage lugubre de Jabez Wilson, jusqu'à ce que l'aspect comique de l'affaire vînt supplanter tous les autres : alors nous éclatâmes d'un rire qui n'en finissait plus.

— Je regrette : je ne vois pas ce qu'il y a de si drôle ! s'écria notre client, que notre hilarité fit rougir jusqu'à la racine de ses cheveux flamboyants. Si vous ne pouvez rien d'autre pour moi que rire, j'irai m'adresser ailleurs.

— Non, non ! cria Holmes en le repoussant dans le fauteuil d'où il avait commencé à s'extraire. Pour rien au monde je ne voulais manquer cette affaire : elle est… rafraîchissante ! Mais elle comporte, pardonnez-moi de m'exprimer ainsi, des éléments plutôt amusants. Veuillez nous dire maintenant ce que vous avez fait lorsque vous avez trouvé ce carton sur la porte.

— J'avais reçu un coup de massue, monsieur. Je ne savais pas à quel saint me vouer. Je fis le tour des bureaux voisins, mais tout le monde ignorait la nouvelle. En fin de compte, je me rendis chez le propriétaire : c'est un comptable qui habite au rez-de-chaussée ; je lui ai demandé s'il pouvait me dire ce qui était arrivé à la Ligue des rouquins. Il me répondit qu'il n'avait jamais entendu parler d'une semblable association. Alors je lui demandai qui était M. Duncan Ross. Il m'affirma que c'était la première fois que ce nom était prononcé devant lui.

» — Voyons, lui dis-je : le gentleman du N° 14 !

» — Ah ! le rouquin ?

» — Oui.

» — Oh ! fit-il, il s'appelle William Morris. C'est un conseiller juridique : il se servait de cette pièce pour un usage provisoire ; je la lui avais louée jusqu'à ce que ses nouveaux locaux fussent prêts. Il a déménagé hier.

» — Où pourrais-je le trouver ?

» — Oh ! à son nouveau bureau. J'ai son adresse quelque part... Oui, 17, King Edward Street, près de Saint-Paul.

» Je courus, monsieur Holmes ! Mais quand j'arrivai à cette adresse, je découvris une fabrique de rotules artificielles, et personne ne connaissait ni M. William Morris, ni M. Duncan Ross.

— Et ensuite, qu'avez-vous fait ? demanda Holmes.

— Je suis rentré chez moi à Saxe-Coburg Square pour prendre l'avis de mon commis. Mais il se contenta de me répéter que si j'attendais, j'aurais des nouvelles par la poste. Alors ça ne m'a pas plu, monsieur Holmes ! Je ne tiens pas à perdre un emploi pareil sans me défendre... Comme j'avais entendu dire que vous étiez assez bon pour conseiller des pauvres gens qui avaient besoin d'un avis, je me suis rendu droit chez vous.

— Vous avez bien fait ! dit Holmes. Votre affaire est exceptionnelle, et je serai heureux de m'en occuper. D'après votre récit, je crois possible que les suites soient plus graves qu'on ne le croirait à première vue.

— Plus graves ! s'exclama M. Jabez Wilson. Quoi ! j'ai perdu cette semaine quatre livres sterling...

— En ce qui vous concerne personnellement, observa Holmes, je ne vois pas quel grief vous pourriez formuler contre cette ligue extraordinaire. Bien au contraire ! Ne vous êtes-vous pas enrichi de quelque trente livres ? Et je ne parle pas des connaissances que vous avez acquises gratuitement sur tous les sujets dont l'initiale était un A. Ces gens de la Ligue ne vous ont lésé en rien.

— Non, monsieur. Mais je tiens à apprendre la vérité sur leur compte, qui ils sont, et pourquoi ils m'ont joué cette farce, car c'en est une ! Ils se sont bien amusés pour trente-deux livres !

— Nous nous efforcerons donc d'éclaircir à votre intention ces problèmes, monsieur Wilson. D'abord, une ou deux questions, s'il vous plaît. Ce commis, qui vous a soumis le texte de l'annonce, depuis combien de temps l'employiez-vous ?

— Un mois, à peu près, à l'époque.

— Comment l'avez-vous embauché ?

— A la suite d'une petite annonce.

— Fut-il le seul à se présenter ?

— Non, il y avait une douzaine de candidats.

— Pourquoi l'avez-vous choisi ?

— Parce qu'il avait l'air débrouillard, et qu'il consentait à entrer comme débutant.

— En fait, à demi-salaire ?

— Oui.

— Comment est-il fait, ce Vincent Spaulding ?

— Il est petit, fortement charpenté, très vif, chauve, bien qu'il n'ait pas trente ans. Sur le front il a une tache blanche : une brûlure d'acide.

Holmes se souleva de son fauteuil ; une excitation considérable s'était emparée de lui.

— Je n'en pensais pas moins ! dit-il. N'avez-vous pas observé que ses lobes sont percés comme par des boucles d'oreilles ?

— Si, monsieur. Il m'a dit qu'une sorcière les lui avait troués quand il était petit.

— Hum ! fit Holmes en retombant dans ses pensées. Et il est encore à votre service ?

— Oh ! oui, monsieur ! Je viens de le quitter.

— Et pendant votre absence, il a bien géré votre affaire ?

— Rien à dire là-dessus, monsieur. D'ailleurs il n'y a jamais grand-chose à faire le matin.

— Cela suffit, monsieur Wilson. Je serai heureux de vous faire connaître mon opinion d'ici un jour ou deux. Nous sommes aujourd'hui samedi. J'espère que la conclusion interviendra lundi.

Quand notre visiteur eut prit congé, Holmes m'interrogea :

— Hé bien ! Watson, qu'est-ce que vous pensez de tout cela ?

— Je n'en pense rien, répondis-je franchement. C'est une affaire fort mystérieuse.

— En règle générale, dit Holmes, plus une chose est bizarre, moins elle comporte finalement de mystères. Ce sont les crimes banals, sans traits originaux, qui sont vraiment embarrassants : de même qu'un visage banal est difficile à identifier. Mais il faut que je règle rapidement cela.

— Qu'allez-vous faire ?

— Fumer, répondit-il. C'est le problème idéal pour trois pipes, et je vous demande de ne pas me distraire pendant cinquante minutes.

Il se roula en boule sur son fauteuil, avec ses genoux minces ramenés sous son nez aquilin, puis il demeura assis ainsi, les yeux fermés ; sa pipe en terre noire proéminait comme le bec d'un oiseau étrange. Je finis par conclure qu'il s'était endormi, et j'allais moi aussi faire un petit somme quand il bondit hors de son siège : à en juger par sa mine, il avait pris une décision. Il posa sa pipe sur la cheminée.

— Il y a un beau concert cet après-midi à Saint-James's Hall, dit-il. Qu'en pensez-vous, Watson ? Vos malades pourront-ils se passer de vos services quelques heures ?

— Je suis libre aujourd'hui. Ma clientèle n'est jamais très absorbante.

— Dans ce cas, prenez votre chapeau et partons. D'abord pour un petit tour dans la City ; nous mangerons quelque chose en route. Il y a beaucoup de musique allemande au programme, et elle est davantage à mon goût que la musique française ou italienne : elle est introspective, et j'ai grand besoin de m'introspecter. Venez !

Nous prîmes le métro jusqu'à Aldergate. Une courte marche nous mena à Saxe-Coburg Square, l'une des scènes où s'était déroulée l'histoire peu banale que nous avions entendue. C'était une petite place de rien du tout, suant la misère sans l'avouer tout à fait ; quatre rangées crasseuses de maisons de briques à deux étages contemplaient une pelouse minuscule entourée d'une grille : un sentier herbeux et quelques massifs de lauriers fanés y défendaient leur existence contre une atmosphère enfumée et ingrate. Trois boules dorées et un écriteau marron avec *Jabez Wilson* écrit en lettres blanches, à l'angle d'une maison, révélèrent le lieu où notre client rouquin tenait boutique. Sherlock Holmes s'arrêta devant la façade. Il pencha la tête de côté et la contempla ; entre ses paupières plissées, ses yeux brillaient. Lentement, il remonta la rue, puis la redescendit sans cesser de regarder les maisons, comme s'il voulait en percer les murs. Finalement, il retourna vers la boutique du prêteur sur gages ; il cogna vigoureusement deux ou trois fois le trottoir avec sa canne, avant d'aller à la porte et d'y frapper. Presque instantanément, on ouvrit : un jeune garçon imberbe, à l'aspect fort éveillé, le pria d'entrer.

— Merci, dit Holmes. Je voudrais seulement que vous m'indiquiez, s'il vous plaît, le chemin pour regagner le Strand d'ici.

— La troisième à droite, et la quatrième à gauche, répondit aussitôt le commis en refermant la porte.

— Il a l'esprit vif, ce type ! observa Holmes quand nous nous fûmes éloignés. Selon moi, il est, au royaume de l'habileté, le quatrième homme dans Londres ; quant à l'audace, il pourrait même prétendre à la troisième place. J'ai déjà eu affaire à lui autrefois.

— De toute évidence, dis-je, le commis de M. Wilson tient un rôle important dans cette mystérieuse affaire de la Ligue des rouquins. Je parierais que vous n'avez demandé votre chemin que pour le voir.

— Pas lui.

— Qui alors ?

— Les genoux de son pantalon.

— Ah !... Et qu'y avez-vous vu ?

— Ce que je m'attendais à voir.

— Pourquoi avez-vous cogné le trottoir avec votre canne ?

— Mon cher docteur, c'est l'heure d'observer, non de parler. Nous sommes des espions en pays ennemi. Nous avons appris quelque chose sur Saxe-Coburg Square. Explorons maintenant les ruelles qui se trouvent derrière.

La rue où nous nous retrouvâmes lorsque nous eûmes contourné l'angle de ce Saxe-Coburg Square contrastait autant avec lui que les deux faces d'un tableau. C'était l'une des artères principales où se déversait le trafic de la City vers le nord et l'ouest. La chaussée était obstruée par l'énorme flot commercial qui s'écoulait en un double courant : l'un allant vers la City, l'autre venant de la City. Nous avions du mal à réaliser que d'aussi beaux magasins et d'aussi imposants bureaux s'adossaient à ce square minable et crasseux que nous venions de quitter.

— Laissez-moi bien regarder, dit Holmes qui s'était arrêté au coin pour observer. Je voudrais tout simplement me rappeler l'ordre des maisons ici. Il y a Mortimer's, le bureau de tabac, la boutique du marchand de journaux, la succursale Coburg de la Banque de la City et de la Banlieue, le restaurant végétarien, et le dépôt de voitures McFarlane. Ceci nous mène droit vers l'autre bloc. Voilà, docteur : le travail est fini, c'est l'heure de nous distraire ! Un sandwich et une tasse de café, puis en route vers le pays du violon où tout est douceur, délicatesse, harmonie : là, il n'y aura pas de rouquins pour nous assommer de devinettes.

Mon ami était un mélomane enthousiaste ; il exécutait passablement, et il composait des œuvres qui n'étaient pas dépourvues de mérite. Tout l'après-midi, il resta assis sur son fauteuil d'orchestre ; visiblement, il jouissait du bonheur le plus parfait ; ses longs doigts minces battaient de temps en temps la mesure ; un sourire s'étalait sur son visage ; ses yeux exprimaient de la langueur et toute la poésie du rêve... Qu'ils étaient donc différents des yeux de Holmes le limier, de Holmes l'implacable, l'astucieux, de Holmes le champion des policiers ! Son singulier caractère lui permettait cette dualité. J'ai souvent pensé que sa minutie et sa pénétration représentaient une sorte de réaction de défense contre l'humeur qui le portait vers la poésie et la contemplation. L'équilibre de sa nature le faisait passer d'une langueur extrême à l'énergie la plus dévorante. Je savais bien qu'il n'était jamais si réellement formidable que certains soirs où il venait de passer des heures dans son fauteuil parmi les improvisations ou ses éditions en gothique. Alors l'appétit de la chasse s'emparait de lui, et sa logique se haussait au niveau de l'intuition : si bien que les gens qui n'étaient pas familiarisés avec ses méthodes le regardaient de travers, avec méfiance, comme un homme différent du commun des mortels.

Quand je le vis ce soir-là s'envelopper de musique à Saint-James's Hall, je sentis que de multiples désagréments se préparaient pour ceux qu'il s'était donné pour mission de pourchasser.

— Vous désirez sans doute rentrer chez vous, docteur ? me demanda-t-il après le concert.

— Oui, ce serait aussi bien.

— De mon côté, j'ai devant moi plusieurs heures de travail. L'affaire de Coburg Square est grave.

— Grave ?

— Un crime considérable se mijote. J'ai toutes raisons de croire que nous pourrons le prévenir. Mais c'est aujourd'hui samedi, et cela complique les choses. J'aurais besoin de votre concours ce soir.

— A quelle heure ?

— Dix heures ; ce sera assez tôt.

— Je serai à Baker Street à dix heures.

— Très bien... Ah ! dites-moi, docteur : il se peut qu'un petit danger nous menace : alors, s'il vous plaît, mettez donc votre revolver d'officier dans votre poche.

Il me fit signe de la main, vira sur ses talons, et disparut dans la foule.

Je ne crois pas avoir un esprit plus obtus que la moyenne, mais j'ai toujours été oppressé par le sentiment de ma propre stupidité au cours de mon commerce avec Sherlock Holmes. Dans ce cas-ci, j'avais entendu ce qu'il avait entendu, j'avais vu ce qu'il avait vu ; et cependant !... Il ressortait de ses propos qu'il discernait non seulement ce qui s'était passé, mais encore ce qui pouvait survenir, alors que, de mon point de vue, l'affaire se présentait sous un aspect confus et grotesque. Tandis que je roulais vers ma maison de Kensington, je me remémorai le tout, depuis l'extraordinaire récit du copieur roux de l'*Encyclopédie britannique* jusqu'à notre visite à Saxe-Coburg Square, sans oublier la petite phrase de mauvais augure qu'il m'avait lancée en partant. Qu'est-ce que c'était que cette expédition nocturne ? Pourquoi devrais-je y participer armé ? Où irions-nous ? Et que ferions-nous ? Holmes m'avait indiqué que le commis du prêteur sur gages était un as : un homme capable de jouer un jeu subtil et dur. J'essayai de démêler cet écheveau, mais j'y renonçai bientôt : après tout, la nuit m'apporterait l'explication que je cherchais !

A neuf heures et quart, je sortis de chez moi et, par le parc et Oxford Street, je me dirigeai vers Baker Street. Devant la porte, deux fiacres étaient rangés. Passant dans le couloir, j'entendis au-dessus un bruit de voix : de fait, quand

j'entrai dans la pièce qui servait de bureau à Holmes, celui-ci était en conversation animée avec deux hommes. J'en reconnus un aussitôt : c'était Peter Jones, officier de police criminelle. L'autre était long et mince ; il avait le visage triste, un chapeau neuf et une redingote terriblement respectable.

— Ah ! nous sommes au complet ! s'exclama Holmes en prenant son lourd stick de chasse. Watson, je crois que vous connaissez M. Jones, de Scotland Yard ? Permettez-moi de vous présenter M. Merryweather, qui va nous accompagner dans nos aventures nocturnes.

— Vous voyez, docteur, dit Jones avec l'air important qui ne le quittait jamais, encore une fois nous voici partant pour une chasse à deux. Notre ami est merveilleux pour donner le départ. Il n'a besoin que d'un vieux chien pour l'aider à dépister le gibier.

— J'espère, murmura lugubrement M. Merryweather, que nous trouverons en fin de compte autre chose qu'un canard sauvage.

— Vous pouvez avoir pleine et entière confiance en M. Holmes ! dit fièrement l'officier de police. Il a ses petites méthodes qui sont, s'il me permet de l'avouer, un tout petit peu trop théoriques et bizarres, mais c'est un détective-né. Il n'est pas exagéré de dire qu'une fois ou deux, notamment dans cette affaire de meurtre à Brixton Road ou dans le trésor d'Agra, il a vu plus clair que la police officielle.

— Oh ! si vous êtes de cet avis, monsieur Jones, tout est parfait ! s'écria l'étranger avec déférence. Pourtant, je vous confesse que mon bridge me manque. C'est depuis vingt-sept ans la première fois que je ne joue pas ma partie le samedi soir.

— Je crois que vous ne tarderez pas à vous apercevoir, dit Holmes, que vous n'avez jamais joué aussi gros jeu ; la partie de ce soir sera donc passionnante ! Pour vous, monsieur Merryweather, il s'agit de quelque trente mille livres. Pour vous Jones, il s'agit de l'homme que vous voulez tant prendre sur le fait.

— John Clay, assassin, voleur, faussaire, faux-monnayeur. C'est un homme jeune, monsieur Merryweather, et cependant il est à la tête de sa profession. Il n'y a pas un criminel dans Londres à qui je passerais les menottes avec plus de plaisir. Un type remarquable, ce John Clay ! Son grand-père était un duc royal ; lui-même a fait ses études à Eton et à Oxford. Il a le cerveau aussi agile que ses doigts ; à chaque instant, nous repérons sa trace, mais quant à trouver l'homme ! Un jour, il fracturera un coffre en Ecosse, et le lendemain il quêtera dans les Cornouailles pour la construction d'un orphelinat. Il y a des années que je le piste, et je ne suis jamais parvenu à l'apercevoir !

— J'espère que j'aurai la joie de vous le pésenter cette nuit. J'ai eu moi aussi affaire une ou deux fois à M. John Clay, et je vous concède que c'est un as. Mais il est plus de dix heures : il faut partir. Prenez tous deux le premier fiacre ; Watson et moi suivrons dans le second.

Tout au long de notre route, Sherlock Holmes ne se montra guère enclin à la conversation : du fond du fiacre, il fredonnait les airs qu'il avait entendus l'après-midi. Nous nous engageâmes dans un interminable labyrinthe de ruelles éclairées au gaz, jusqu'à ce que nous nous retrouvâmes dans Farrington Street.

— Nous approchons ! constata mon ami. Ce Merryweather est un directeur de banque et cette affaire l'intéresse personnellement. J'ai pensé qu'il ne serait pas mauvais d'avoir Jones avec nous aussi. Ce n'est pas un mauvais bougre, quoique professionnellement je le considère comme un imbécile. Mais il a une qualité positive : il est aussi courageux qu'un bouledogue, et aussi tenace qu'un homard s'il pose ses pinces sur quelqu'un. Nous voici arrivés : ils nous attendent.

Nous avions atteint la même grande artère populeuse où nous avions déambulé le matin. Nous quittâmes nos fiacres et, guidés par M. Merryweather, nous nous engouffrâmes dans un passage étroit. Il nous ouvrit une porte latérale. Au bout d'un couloir, il y avait une porte en fer massif. Celle-ci aussi fut ouverte ; elle débouchait sur un escalier de pierre en colimaçon qui se terminait sur une nouvelle porte formidable. M. Merryweather s'arrêta pour allumer une lanterne, et il nous mena vers un passage sombre, qui puait la terre mouillée. Encore une porte — la troisième — et nous aboutîmes à une grande cave voûtée où étaient empilées tout autour des caisses et des boîtes de grande taille.

— Par le haut, vous n'êtes pas trop vulnérable ! remarqua Holmes en levant la lanterne et en regardant autour de lui.

— Ni par le bas ! dit M. Merryweather en frappant de son stick les dalles du sol... Mon Dieu ! s'écria-t-il, elles sonnent creux...

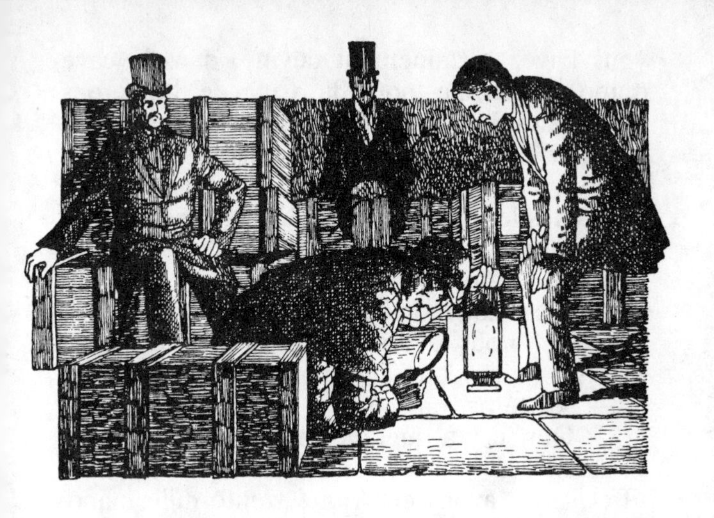

— Je dois réellement vous prier de vous tenir un peu plus tranquille, dit Holmes avec sévérité. Vous venez de compromettre le succès de notre expédition. Pourrais-je vous demander d'être assez bon pour vous asseoir sur l'une de ces caisses et de vous mêler de rien ?

Le solennel M. Merryweather se percha sur une caisse, avec un air de dignité offensée. Holmes s'agenouilla sur le sol : à l'aide de la lanterne et d'une loupe, il examina les interstices entre les dalles. Quelques secondes lui suffirent ; il se remit debout et rangea la loupe dans sa poche.

— Nous avons une bonne heure devant nous, déclara-t-il. En effet, ils ne prendront aucun risque avant que le prêteur sur gages soit couché. Seulement, ils ne perdront plus une minute, car plus tôt ils auront fini leur travail, plus ils auront de temps pour se mettre à l'abri. Nous nous trouvons actuellement, docteur, et vous l'avez certainement deviné, dans la cave d'une succursale pour la City de l'une des principales banques de Londres. M. Merryweather est le président du conseil d'administration, et il vous expliquera les raisons pour lesquelles les criminels les plus audacieux de la capitale n'auraient pas tort de s'intéresser à présent à cette cave.

— C'est notre or français, chuchota le président. Et nous avons été avertis à plusieurs reprises qu'un coup était en préparation.

— Votre or français ?

— Oui. Il y a quelques mois, nous avons eu l'occasion de consolider nos ressources ; à cet effet, nous avons emprunté trente mille napoléons à la Banque de France. Mais, dans la City, on a appris que nous n'avons jamais eu besoin de cet argent frais, et qu'il était dans notre cave. La caisse sur laquelle je suis assis contient deux mille napoléons enveloppés de papier de plomb. Notre réserve métallique est beaucoup plus forte en ce moment que celle qui est généralement affectée à une simple succursale, et la direction redoute quelque chose…

— Craintes tout à fait justifiées ! ponctua Holmes. Maintenant, il serait temps d'arranger nos petits plans. Je m'attends à ce que l'affaire soit mûre dans une heure. D'ici là, monsieur Merryweather, faites tomber le volet de votre lanterne.

— Alors nous resterons… dans le noir ?

— J'en ai peur ! J'avais emporté un jeu de cartes, monsieur Merryweather, et je pensais que, puisque nous serions quatre, vous auriez pu faire quand même votre partie de bridge.

Mais l'ennemi a poussé si loin ses préparatifs que toute lumière nous est interdite. Première chose à faire : choisir nos places. Nos adversaires sont gens audacieux ; nous aurons l'avantage de la surprise, c'est entendu ; mais si nous ne prenons pas le maximum de précautions, gare à nous ! Je me tiendrai derrière cette caisse. Vous autres, dissimulez-vous derrière celles-là. Quand je projetterai de la lumière sur eux, cernez-les en vitesse. Et s'ils tirent, Watson, n'ayez aucun scrupule, abattez-les comme des chiens !

Je posai mon revolver, armé, sur la caisse en bois derrière laquelle je m'accroupis. Holmes abaissa le volet de la lanterne. Nous fûmes plongés dans l'obscurité ; et cette obscurité me parut effroyablement opaque. L'odeur du métal chauffé demeurait pour nous convaincre que la lumière n'était pas éteinte et qu'elle jaillirait au moment propice. Mes nerfs, exaspérés par cet affût particulier, me rendaient plus sensible à l'atmosphère glacée et humide de la cave.

— Ils n'ont qu'une retraite possible, chuchota Holmes. La maison de Saxe-Coburg Square. Je pense que vous avez fait ce que je vous avais demandé, Jones ?

— Un inspecteur et deux agents font le guet devant la porte.

— Par conséquent, tous les trous sont bouchés. Il ne nous reste plus qu'à nous taire et à attendre.

Comme le temps nous sembla long ! En confrontant nos souvenirs, ensuite, nous découvrîmes qu'il ne s'était écoulé qu'une heure et quart avant l'action ; nous aurions juré que la nuit entière avait passé et que l'aube blanchissait déjà le ciel au-dessus de nos têtes. J'avais les membres raides et endoloris, car j'avais peur de faire du bruit en changeant de position. Quant à mes nerfs, ils étaient tellement tendus que je percevais la respiration de mes trois compagnons : je distinguais même celle de Jones, plus lourde, de celle du président du conseil d'administration de la banque, qui ressemblait à une poussée régulière de soupirs. De ma place, je pouvais observer les dalles pardessus la caisse. Soudain, mes yeux aperçurent le trait d'une lumière.

D'abord ce ne fut qu'une étincelle rougeâtre sur le sol dallé. Puis elle s'allongea jusqu'à devenir une ligne jaune. Et alors, sans le moindre bruit, une fente se produisit et une main apparut : blanche, presque féminine, cette main se posa au centre de la petite surface éclairée ; elle tâtonna à l'entour. Pendant une minute ou deux, la main, avec ses doigts crispés, émergea du sol. Puis elle se retira aussi subitement qu'elle était apparue. Tout redevint noir, à l'exception de cette unique lueur rougeâtre qui marquait une fente entre deux dalles.

La disparition de la main, cependant, ne fut que momentanée. Dans un bruit de déchirement, d'arrachement, l'une des grosses dalles blanches se souleva sur un côté : un trou carré, béant, se creusa et une lanterne l'éclaira. Pardessus le rebord, un visage enfantin, imberbe, surgit. Il inspecta les caisses du regard. De chaque côté de l'ouverture ainsi pratiquée dans le sol, une main s'agrippa. Les épaules émergèrent, puis la taille. Un genou prit appui sur le rebord. L'homme se mit debout à côté du trou. Presque au même instant se dressa derrière lui un complice : aussi agile et petit que lui, avec un visage blême et une tignasse d'un rouge flamboyant.

— Tout va bien, murmura-t-il. Tu as les ciseaux, les sacs ?... Oh ! bon Dieu ! Saute, Archie, saute ! Je m'en débrouillerai tout seul.

Sherlock Holmes avait bondi et empoigné l'homme. L'autre plongea par le trou et je perçus le bruit d'une étoffe qui se déchirait car Jones l'avait happé par son vêtement. La lumière fit luire le canon d'un revolver, mais Holmes frappa le poignet d'un coup de stick, et l'arme tomba sur le sol.

— Inutile, John Clay ! articula Holmes avec calme. Vous n'avez plus aucune chance.

— J'ai compris, répondit le bandit avec le plus grand sang-froid. J'espère que mon copain s'en est tiré, bien que vous ayez eu les pans de sa veste...

— Il y a trois hommes qui l'attendent à la porte, dit Holmes.

— Oh ! vraiment ? Vous me paraissez n'avoir rien oublié. Puis-je vous féliciter ?

— Moi aussi, je vous félicite ! dit Holmes. Votre idée des rouquins était très originale... et efficace !

— Vous retrouverez bientôt votre copain, dit Jones. Il descend dans les trous plus vite que moi. Tendez-moi les poignets, afin que j'attache les menottes.

— Je vous prie de ne pas me toucher avec vos mains crasseuses ! observa notre prisonnier tandis que les cercles d'acier se refermaient autour de ses poignets. Vous ignorez peut-être que j'ai du sang royal dans les veines ? Ayez la bonté, quand vous vous adresserez à moi, de m'appeler « monsieur » et de me dire « s'il vous plaît ».

— D'accord ! répondit Jones, ahuri mais ricanant. Hé bien ! voulez-vous, s'il vous plaît, monsieur, monter par l'escalier ? Nous trouverons en haut un carrosse qui transportera Votre Altesse au poste de police.

— Voilà qui est mieux, dit John Clay avec sérénité.

Il s'inclina devant nous trois et sortit paisiblement sous la garde du policier.

— Réellement, monsieur Holmes, dit M. Merryweather pendant que nous remontions de la cave, je ne sais comment la banque pourra vous remercier et s'acquitter envers vous. Sans aucun doute, vous avez découvert et déjoué une tentative de cambriolage comme je n'en avais encore jamais vu dans une banque !

— J'avais un petit compte à régler avec M. John Clay, sourit Holmes. Dans cette affaire, mes frais ont été minimes : j'espère néanmoins que la banque me les remboursera. En dehors de cela, je suis largement récompensé parce que j'ai vécu une expérience pour ainsi dire unique, et que la Ligue des rouquins m'a été révélée ! Elle était très remarquable !

— Voyez-vous, Watson, m'expliqua-t-il dans les premières heures de la matinée, alors que nous étions assis à Baker Street devant un bon verre de whisky, une chose me sauta aux yeux tout d'abord : cette histoire assez incroyable

d'une annonce publiée par la soi-disant Ligue des rouquins, et de la copie de l'*Encyclopédie britannique,* ne pouvait avoir d'autre but que de retenir chaque jour hors de chez lui notre prêteur sur gages. Le moyen utilisé n'était pas banal ; en fait, il était difficile d'en trouver de meilleur ! C'est indubitablement la couleur des cheveux de son complice qui inspira l'esprit subtil de Clay. Quatre livres par semaine constituaient un appât sérieux ; mais qu'était-ce, pour eux, que quatre livres puisqu'ils en espéraient des milliers ? Ils insérèrent l'annonce : l'un des coquins loua provisoirement le bureau, l'autre poussa le prêteur sur gages à se présenter, et tous deux profitaient chaque matin de son absence. A partir du moment où j'ai su que le commis avait accepté de travailler à mi-salaire, j'ai compris qu'il avait un sérieux motif pour accepter l'emploi.

— Mais comment avez-vous découvert de quel motif il s'agissait ?

— S'il y avait eu des femmes dans la maison, j'aurais songé à une machination plus vulgaire. Mais il ne pouvait en être question. D'autre part, le bureau de notre prêteur sur gages rendait peu. Enfin, rien chez lui ne justifiait une préparation aussi minutieuse, longue et coûteuse. Il fallait donc chercher dehors. Mais chercher quoi ? Je réfléchis à la passion du commis pour la photographie, et à son truc de disparaître dans la cave. La cave ! C'était là qu'aboutissaient les fils de l'énigme que m'avait apportée M. Jabez Wilson. Je posai alors quelques questions sur ce commis mystérieux, et je me rendis compte que j'avais affaire à l'un des

criminels de Londres les plus audacieux et les plus astucieux. Il était en train de manigancer quelque chose dans la cave : quelque chose qui lui prenait plusieurs heures par jour depuis des mois. Encore une fois, quoi ? Je ne pouvais qu'envisager un tunnel, destiné à le conduire vers un autre immeuble.

» J'en étais arrivé là quand nous nous rendîmes sur les lieux. Je vous ai étonné quand j'ai cogné le sol avec mon stick ; mais je me demandais si la cave était située sur le devant ou sur l'arrière de la maison. Au son, je sus qu'elle n'était pas sur le devant. Ce fut alors que je sonnai ; j'espérais bien que le commis se dérangerait pour ouvrir. Nous avions eu quelques escarmouches, mais nous ne nous étions jamais vus. Je regardai à peine son visage : c'était ses genoux qui m'intéressaient. Vous avez pu remarquer vous-même combien à cet endroit le pantalon était usé, chiffonné, et taché : de tels genoux étaient révélateurs du genre de travail auquel il se livrait pendant des heures. Le seul point mystérieux qui restait à élucider était le pourquoi de ce tunnel. En me promenant dans le coin, je constatai que la Banque de la City et de la Banlieue attenait à la maison de Jabez Wilson. Quand vous rentrâtes chez vous après le concert, j'alertai Scotland Yard et le président du conseil d'administration de la banque ; et la conclusion fut ce que vous avez vu.

— Et comment avez-vous pu prévoir qu'ils feraient dès le soir leur tentative ?

— A partir du moment où le bureau de la Ligue était fermé, il était certain qu'ils ne se souciaient plus que Jabez Wilson fût absent de chez lui. Par ailleurs, il était capital de leur point de vue qu'ils se dépêchassent, car le tunnel pouvait être découvert, ou l'or changé de place. Le samedi leur convenait bien, car ils avaient deux jours pour disparaître. C'est pour toutes ces raisons que je les attendais pour hier soir.

— Votre logique est merveilleuse ! m'écriai-je avec une admiration non feinte. La chaîne est longue, et cependant chaque anneau se tient.

— La logique me sauve de l'ennui, répondit-il en bâillant. Hélas ! je le sens qui me cerne encore !... Ma vie est un long effort pour m'évader des banalités de l'existence. Ces petits problèmes m'y aident.

— Et de plus, vous êtes un bienfaiteur de la société, ajoutai-je.

Il haussa les épaules :

— Peut-être, après tout, cela sert-il à quelque chose ! « L'homme n'est rien ; c'est l'œuvre qui est tout », comme Flaubert l'écrivait à George Sand.

UNE AFFAIRE D'IDENTITÉ

Nous étions assis au coin du feu dans son logement de Baker Street, et Sherlock Holmes me dit :

— La vie, mon cher, est infiniment plus étrange que tout ce que l'esprit humain pourrait inventer ! Il y a certaines choses que nous n'oserions pas concevoir, et qui sont pourtant de simples banalités de l'existence. Je suppose que nous soyons capables de nous envoler tous les deux par cette fenêtre : nous planerions au-dessus de Londres et nous soulèverions doucement les toits, nous risquerions un œil sur les choses bizarres qui se passent, sur les coïncidences invraisemblables, les projets, les malentendus, sur les merveilleux enchaînements des événements qui se sont succédé à travers les générations pour aboutir à des résultats imprévus à l'origine : n'importe quel roman, avec ses développements conventionnels et son dénouement normal, nous paraîtrait par comparaison étriqué et inintéressant.

— Je n'en suis pas encore tout à fait convaincu, répondis-je. Les intrigues et toutes les affaires que nous lisons sur du papier imprimé sont généralement assez plates. Prenez les rapports de police : le réalisme y est poussé jusqu'à l'extrême ; ils n'en sont pour cela ni passionnants ni riches en effets d'art...

— Pour produire un effet artistique, remarqua Holmes, la sélection et la discrétion sont indispensables. C'est ce qui manque dans un rapport de police, où la platitude du style de l'auteur ressort davantage que les détails, lesquels constituent cependant le fond de toute l'affaire. Je crois que la banalité est très anormale.

Je secouai la tête en souriant :

— Je comprends très bien pourquoi vous professez cette opinion. Vous occupez la situation d'un conseiller officieux, vous aidez tous ceux qui, à travers trois continents, se débattent au sein d'énigmes indéchiffrables. Vous vous trouvez donc en contact avec l'étrange, le bizarre... Mais prenons le journal de ce matin : livrons-nous à une expérience pratique. Voyez ce titre : « La cruauté d'un mari envers sa femme. » Il y a une demi-colonne de texte ; mais je n'ai pas besoin de la lire pour savoir que le sujet traité m'est parfaitement familier : je devine déjà la maîtresse, l'alcool, les disputes, les coups, le bruit, une logeuse au bon cœur et la sœur de charité... Les écrivains les plus réalistes ne pourraient rien imaginer de plus réel.

— Vous avez choisi malheureusement un mauvais argument pour étayer votre thèse ! dit

Holmes en prenant le journal pour y jeter un coup d'œil. Il s'agit de l'affaire du divorce des Dundas : or, par hasard, on m'a demandé d'éclaircir quelques points en connexion avec ce petit drame. Hé bien ! le mari militait dans la Ligue antialcoolique ; il n'avait pas de maîtresse ; le seul côté blâmable de sa conduite était la détestable habitude qu'il avait prise de lancer, à la fin de chaque repas, son dentier à la tête de sa femme. Quel romancier moyen aurait imaginé cela ?... Un peu de tabac, docteur, pour vous aider à reconnaître que je viens de marquer un point contre vous !

Il me tendit une tabatière de vieil or ; au centre du couvercle s'étalait une grosse améthyste. Cette splendeur contrastait tellement avec la simplicité de ses goûts que je ne pus m'empêcher de m'en étonner.

— Ah ! me dit-il. J'oubliais que je ne vous avais pas vu depuis plusieurs semaines : c'est un petit souvenir que m'a envoyé le roi de Bohême pour me remercier des services que je lui ai rendus à propos d'Irène Adler.

— Et cette bague ? demandai-je en désignant un brillant magnifique qui scintillait à son doigt.

— Elle m'a été donnée par la famille régnante de Hollande ; mais l'affaire qui m'a

valu cette récompense était délicate, très délicate... Je ne pourrais la raconter, même à vous qui avez eu la gentillesse de relater pour la chronique quelques-uns de mes petits problèmes.

— En avez-vous un sur le chantier, en ce moment ? demandai-je avec curiosité.

— Une douzaine, mais sans intérêt. Ils sont importants, vous comprenez, mais nullement intéressants. Savez-vous ce que j'ai découvert ? hé bien ! que c'est généralement dans les affaires peu importantes que l'observation peut le mieux se déployer, ainsi que cette vivacité dans l'analyse des causes et des effets qui donne à une enquête tout son piment. Les plus grands crimes sont les plus simples, car plus grand est le crime et mieux le mobile apparaît : c'est la règle. Parmi ces dix ou douze affaires sur le chantier, comme vous dites, en dehors d'une, assez embrouillée, qui m'a été soumise de Marseille, je ne vois rien qui présente de l'intérêt. Cependant il est possible que d'ici quelques minutes j'aie mieux à vous offrir, car ou je me trompe fort, ou voici une cliente.

Il s'était levé de son fauteuil et était allé se poster derrière le store pour plonger son regard dans la rue morne et incolore. Penché par-dessus son épaule, j'aperçus sur le trottoir d'en face une forte femme qui s'était arrêtée. Un lourd boa pendait à son cou. Elle était coiffée d'un chapeau à larges bords, piqué d'une grande plume rouge, qu'elle portait sur l'oreille, selon la mode qu'avait coquettement lancée la duchesse de Devonshire. A l'abri de ce dais imposant, elle risquait des coups d'œil hésitants, énervés, vers nos fenêtres. Son corps oscillait d'avant en arrière et d'arrière en avant. Ses doigts tripotaient les boutons de ses gants. Tout à coup, comme si elle se jetait à l'eau, elle traversa la rue en courant, et un coup de sonnette retentit.

— J'ai déjà vu ce genre de symptômes, dit Holmes en lançant sa cigarette dans la cheminée. Oscillations sur le trottoir, cela signifie toujours affaire du cœur. Elle aimerait être conseillée, mais elle se demande si cette affaire n'est pas trop délicate pour être communiquée à quelqu'un. Et même à ce point, nous pouvons opérer encore une discrimination : quand une femme a été gravement bafouée par un homme, elle n'oscille plus, le symptôme habituel est un cordon de sonnette cassé. Pour ce cas-ci, nous pouvons supposer qu'il s'agit d'une affaire d'amour, mais que la dame est moins en colère qu'embarrassée ou affligée.

On frappa à la porte, et le groom annonça Mlle Mary Sutherland. La visiteuse surgit derrière la petite silhouette noire, comme un navire marchand aux voiles gonflées derrière un minuscule bateau pilote. Sherlock Holmes l'accueillit avec l'aisance et la courtoisie qu'il savait pousser jusqu'au raffinement. Il referma la porte sur elle, lui indiqua un fauteuil, et la regarda de cette façon minutieuse et pourtant abstraite qui n'appartenait qu'à lui.

— Ne trouvez-vous pas, dit-il, qu'avec votre myopie, c'est un petit peu pénible de taper tellement à la machine ?

— Oui, au début ; mais maintenant je tape sans regarder les touches.

Elle avait répondu sans réaliser la portée exacte des paroles de Sherlock Holmes. Mais à peine avait-elle fermé la bouche qu'elle sursauta : ses yeux se posèrent avec effroi et ahurissement sur mon ami.

— On vous a parlé de moi, monsieur Holmes ! Autrement comment auriez-vous su cela ?

— Aucune importance ! dit Holmes en riant. C'est mon métier de connaître des tas de choses. Peut-être me suis-je entraîné à voir ce que d'autres ne voient pas... Sinon, d'ailleurs, pourquoi seriez-vous venue me consulter ?

— Je suis venue vous voir, monsieur, parce que Mme Etherge m'a parlé de vous. Vous vous rappelez ? Vous avez si facilement retrouvé son mari alors que tout le monde, police comprise, le donnait pour mort !... Oh ! monsieur Holmes, je voudrais que vous fassiez autant pour moi ! Je ne suis pas riche, mais je jouis en propre de cent livres par an, et je gagne un supplément en tapant à la machine. Je donnerais tout pour savoir ce qu'est devenu M. Hosmer Angel.

— Pourquoi êtes-vous partie avec une pareille précipitation ? demanda Sherlock Holmes.

Il avait rassemblé les extrémités de ses dix doigts, et il contemplait le plafond.

L'étonnement bouleversa encore une fois les traits quelconques de Mlle Mary Sutherland.

— Oui, dit-elle. Effectivement, je me suis précipitée hors de chez moi parce que j'étais furieuse de voir M. Windibank, mon père, prendre la chose aussi facilement. Il ne voulait

pas avertir la police, il ne voulait pas aller vous voir ! Alors moi, finalement, comme il ne faisait rien, et qu'il se bornait à m'affirmer qu'il n'y avait pas de mal, je me suis mise en colère, j'ai filé droit chez vous.

— Votre père ? observa Holmes. Votre beau-père, sans doute, puisque vous ne portez pas le même nom.

— Oui, mon beau-père. Je l'appelle père, bien que cela sonne bizarrement ; il n'a que cinq ans et deux mois de plus que moi.

— Et votre mère vit toujours ?

— Oh ! oui. Maman vit toujours, et elle se porte bien. Ça ne m'a pas fait plaisir, monsieur Holmes, quand elle s'est remariée si tôt après la mort de papa : surtout qu'il s'agissait d'un homme qui avait quinze ans de moins qu'elle. Papa était plombier à Tottenham Court Road ; il a laissé derrière lui une affaire en ordre. Maman l'a continuée avec son contremaître, M. Hardy. Mais il a suffi que M. Windibank survienne pour qu'elle vende son affaire ; il lui était très supérieur : c'est un courtier en vins ! Ils en ont tiré quatre mille sept cents livres pour la clientèle et pour le fonds : si papa avait vécu, il en aurait tiré bien davantage, lui !

Je m'attendais à ce que Sherlock Holmes témoignât de l'impatience devant un récit aussi décousu, mais je le vis au contraire qui concentrait son attention au maximum.

— Votre petit revenu, demanda-t-il, vient-il de l'affaire ?

— Oh ! non, monsieur. Il n'a rien à voir avec elle. C'est un héritage de mon oncle Ned, d'Auckland. Des valeurs de Nouvelle-Zélande, qui me rapportent 4,5 %. Le total faisait deux mille cinq cents livres, mais je touche juste l'intérêt.

— Cette histoire me passionne, dit Holmes. Voyons ! Cent livres bon an mal an vous parviennent ; de plus vous gagnez un peu d'argent, il vous arrive donc de faire des petits voyages et de vous offrir quelques fantaisies. Il me semble qu'une jeune fille seule peut très bien s'en tirer avec un revenu voisinant soixante livres.

— Je pourrais me débrouiller encore avec beaucoup moins, monsieur Holmes ! Mais aussi longtemps que je vivrai à la maison, je ne veux pas être à charge : aussi c'est eux qui encaissent. Bien sûr, cette convention n'est valable que tant que je resterai à la maison. Tous les trimestres, M. Windibank touche mes intérêts, les rapporte à maman. Moi, je me suffis avec ce que je gagne en tapant à la machine à écrire : à deux pence la page. Et je tape souvent de quinze à vingt pages par jour.

— Vous m'avez très bien décrit votre situation, dit Holmes. Mais vous pouvez parler devant le docteur Watson, qui est mon ami, aussi librement qu'à moi-même. S'il vous plaît, abordons, à présent, le chapitre de vos relations avec M. Hosmer Angel.

Mlle Mary Sutherland rosit légèrement ; ses doigts s'agitèrent sur le bord de son chemisier ; tout de même elle commença :

— Je l'ai rencontré la première fois au bal des employés du gaz. Ils avaient l'habitude d'envoyer des places à papa de son vivant ; ils se souvinrent de nous après sa mort, et ils les adressèrent à maman. M. Windibank ne tenait pas à ce que nous y allions. D'ailleurs il ne tenait pas à ce que nous allions nulle part. Si j'avais voulu, par exemple, sortir avec mes camarades de l'école du dimanche, il serait devenu fou! Mais cette fois j'étais décidée à aller au bal, et j'irais! De quel droit m'en empêcherait-il? Il prétendait que ce bal n'était pas fréquenté par des gens pour nous; or, tous les amis de papa y étaient. Il me dit aussi que je n'avais rien à me mettre, alors que j'avais ma robe de panne rouge que je n'avais pas encore étrennée. A la fin, comme je ne voulais pas changer d'avis, il partit pour la France en voyage d'affaires pour sa firme; mais maman et moi, nous nous fîmes accompagner de M. Hardy, l'ancien contremaître de papa, et nous allâmes au bal : ce fut là que je rencontrai M. Hosmer Angel.

— Je pense, dit Holmes, que lorsque M. Windibank rentra de France, il fut très fâché d'apprendre que vous étiez allée au bal.

— Oh! il se montra très gentil! Il rit, je m'en souviens, et il haussa les épaules. Il dit même que c'était bien inutile d'empêcher une femme de faire ce qui lui plaisait, car elle se débrouillait toujours.

— Bon. Donc, à ce bal des employés du gaz, vous avez rencontré un gentleman du nom de Hosmer Angel?

— Oui, monsieur. Je l'ai rencontré ce soir-là; le lendemain il vint nous rendre visite pour savoir si nous étions bien rentrées; après quoi nous l'avons revu... C'est-à-dire, monsieur Holmes, je l'ai revu deux fois et nous nous sommes promenés ensemble. Mais ensuite mon

père est rentré, et M. Hosmer Angel ne pouvait plus revenir à la maison.

— Non ?

— Parce que, vous comprenez, mon père n'aimait pas beaucoup ces choses-là. S'il avait pu, il n'aurait jamais reçu de visiteurs. Il disait qu'une femme devait se contenter du cercle de famille. Mais, comme je l'ai dit souvent à maman, une femme voudrait bien commencer à le créer, son propre cercle ! Et moi, je n'avais pas encore commencé le mien.

— Et ce M. Hosmer Angel n'a-t-il pas cherché à vous revoir ?

— Voilà : mon père devait repartir pour la France pendant une semaine. Hosmer m'écrivit qu'il serait plus raisonnable de ne pas nous voir avant son départ. Mais nous correspondions ; il m'écrivait chaque jour. C'était moi qui prenais les lettres le matin dans la boîte ; aussi, mon père n'en savait rien.

— A cette époque, étiez-vous fiancée à ce gentleman ?

— Oh ! oui, monsieur Holmes ! Nous nous étions fiancés dès notre première promenade. Hosmer... M. Angel... était caissier dans un bureau de Leadenhall Street... et...

— Quel bureau ?

— Voilà le pire, monsieur Holmes : je ne le sais pas.

— Où habitait-il alors ?

— Il dormait là où il travaillait.

— Et vous ne savez pas son adresse ?

— Non. Sauf que c'était Leadenhall Street.

— Où adressiez-vous vos lettres ?

— Au bureau de poste de Leadenhall Street, poste restante. Il disait que si je lui écrivais au bureau, tous les autres employés se moqueraient de lui. Alors je lui ai proposé de les taper à la machine, comme il faisait pour les siennes. Mais il n'a pas voulu : il disait que quand je les écrivais moi-même, elles semblaient bien venir de moi, mais que si je les tapais à la machine, il aurait l'impression que la machine à écrire se serait interposée entre nous deux. Ceci pour vous montrer, monsieur Holmes, combien il m'aimait, et à quelles petites choses il songeait.

— Très suggestif ! opina Sherlock Holmes. J'ai toujours pris pour un axiome que les petites choses avaient une importance capitale. Vous ne pourriez pas vous rappeler encore d'autres petites choses sur M. Hosmer Angel ?

— C'était un garçon très timide, monsieur Holmes. Ainsi, il préférait sortir avec moi le soir plutôt qu'en plein jour : il disait qu'il détestait faire des envieux. Il avait du tact, et des bonnes manières. Jusqu'à sa voix qui était douce. Il avait eu des angines et les glandes engorgées dans son enfance, paraît-il, et ça lui avait laissé une gorge affaiblie : il parlait un peu en chuchotant, en hésitant... Toujours bien mis, très propre, et simplement... Il n'avait pas une bonne vue, lui non plus ; il portait des lunettes teintées pour se protéger les yeux.

— Bien. Et qu'arriva-t-il lorsque votre beau-père, M. Windibank, rentra de France ?

— M. Hosmer Angel était revenu à la maison, et il m'avait proposé de nous marier avant le retour de mon père. Il était terriblement pressé, et il me fit promettre, les mains posées sur la Bible, que quoi qu'il arrive, je lui serais

toujours fidèle. Maman déclara qu'il avait raison de me faire promettre, et que c'était une belle marque d'amour. Maman était pour lui depuis le début ; elle en était même plus amoureuse que moi. Puis, quand ils envisagèrent notre mariage dans la semaine, je demandai comment mon père prendrait la chose. Ils me répondirent tous deux que je n'avais pas à m'inquiéter du père, que je lui annoncerais mon mariage ensuite, et maman me dit qu'elle s'en arrangerait avec lui. Cela, monsieur Holmes, ne me plaisait pas beaucoup. Il semblait bizarre que j'eusse à lui demander l'autorisation puisqu'il était à peine plus âgé que moi. Mais je voulais agir au grand jour. Alors je lui écrivis à Bordeaux, où la société avait ses bureaux français ; mais la lettre me fut retournée le matin même de mon mariage.

— Il ne la reçut donc pas ?

— Non, monsieur. Il était reparti pour l'Angleterre juste avant l'arrivée de ma lettre à Bordeaux.

— Ah ! voilà qui n'est pas de chance ! Votre mariage était donc prévu pour le vendredi. A l'église ?

— Oui, monsieur, mais sans cérémonie. Il devait avoir lieu à Saint-Sauveur, près de King's Cross, et nous aurions eu ensuite un lunch à l'Hôtel Saint-Pancrace. Hosmer vint nous chercher en cab ; mais comme j'étais avec maman, il nous fit monter et sauta lui-même dans un fiacre à quatre roues qui semblait être le seul fiacre de la rue. Nous arrivâmes à l'église les premières ; quand le fiacre à quatre roues apparut, nous nous attendions à le voir descendre, mais per-

sonne ne bougeait, le cocher regarda à l'intérieur de la voiture : Hosmer n'y était plus ! Le cocher dit qu'il n'y comprenait rien, qu'il l'avait pourtant vu monter de ses propres yeux... Ceci se passait vendredi dernier, monsieur Holmes, et je n'ai eu depuis aucune nouvelle ; le mystère de sa disparition reste entier !

— Il me semble que vous avez été bien honteusement traitée ! dit Holmes.

— Oh ! non, monsieur ! Il était trop bon et trop honnête pour me laisser ainsi. Comment ! Toute la matinée il n'avait pas cessé de me répéter que, quoi qu'il puisse arriver, je devais lui rester fidèle ; que même si un événement imprévu nous séparait, je devais me souvenir toujours que nous étions engagés l'un à l'autre et que tôt ou tard il réclamerait ce gage... C'est peut-être une curieuse conversation pour un matin de noces ; mais les circonstances lui ont donné tout son sens !

— En effet, tout son sens ! Votre opinion est donc qu'il a été victime d'une catastrophe imprévue ?

— Oui, monsieur. Je crois qu'il prévoyait un danger ; sinon il ne m'aurait pas tenu ces propos. Et je pense que ce qu'il prévoyait s'est produit.

— Mais vous n'avez aucune idée de ce qu'il prévoyait ?

— Aucune.

— Encore une question. Comment votre mère prit-elle la chose ?

— Elle était furieuse. Elle me dit qu'il ne fallait plus que je m'avise de lui reparler de Hosmer.

— Et votre père ? L'avez-vous mis au courant ?

— Oui. Il pensa, comme moi, que quelque chose s'était produit ; et il m'affirma que j'aurais sous peu des nouvelles de Hosmer. Ainsi qu'il me l'a dit : « Quel intérêt aurait un homme à te mener à la porte de l'église, puis à t'abandonner ? » D'autre part, s'il m'avait emprunté de l'argent, ou si nous nous étions mariés et si j'avais mis mon argent sur son compte, ç'aurait pu être une raison. Mais Hosmer et moi n'avons jamais parlé d'argent... Pourtant, monsieur, qu'est-ce qui a pu se passer ? Pourquoi ne m'a-t-il pas écrit ? Je deviens folle quand j'y pense ! Et je ne peux plus fermer l'œil.

— Je vais prendre cette affaire en main, dit Holmes en se mettant debout. Et je ne doute pas que nous n'obtenions un résultat décisif. Ne faites plus travailler votre cerveau : je me charge de tout. Mais d'abord, tâchez d'effacer M. Hosmer Angel de votre mémoire, aussi complètement qu'il s'est effacé de votre vie.

— Alors... Vous croyez que je ne le reverrai plus ?

— Je crains que non.

— Mais qu'est-ce qui a pu lui arriver ?

— Je répondrai à cette question. J'aimerais avoir une description exacte de lui, et une des lettres qu'il vous a adressées.

— J'ai fait insérer une annonce sur lui dans le *Chronicle* de samedi dernier, dit-elle. Voici la coupure, et quatre lettres de lui.

— Merci. Votre adresse ?

— 31, Lyon Place, Camberwell.

— Vous n'avez jamais eu l'adresse de M. Angel, m'avez-vous dit. Où travaille votre père ?

— Il voyage pour Westhouse & Marbank, les grands importateurs de vins de Fenchurch Street.

— Merci. Votre déclaration a été très claire. Laissez vos lettres et la coupure ici, et rappelez-vous le conseil que je vous ai donné. Tout ceci doit être comme un livre scellé que vous n'ouvrirez plus jamais : il ne faut pas que votre vie en soit affectée.

— Je vous remercie, monsieur Holmes. Mais c'est impossible : je dois avoir confiance en Hosmer. Quand il reviendra, il me trouvera prête pour lui.

En dépit du chapeau absurde et du visage un peu niais, il y avait quelque chose de noble, dans cette fidélité de notre visiteuse, qui forçait le respect. Elle posa sur la table son petit tas de papiers et s'en alla, après nous avoir promis qu'elle reviendrait à la première convocation.

Sherlock Holmes resta assis quelques instants silencieux ; il avait de nouveau rassemblé les extrémités de ses dix doigts ; scs longues jambes s'étiraient devant lui, il regardait fixement le plafond. Puis il retira de son râtelier la bonne vieille pipe qui était un peu sa conseillère. Il l'alluma, s'enfonça dans son fauteuil, envoya en l'air de larges ronds de fumée bleue... Son visage s'assombrit sous une sorte de langueur.

— Très intéressante à étudier, cette jeune fille ! dit-il. Je l'ai trouvée plus intéressante que son petit problème qui est, soit dit en passant, assez banal. Vous trouverez un cas analogue si vous consultez mon répertoire à Andover en 1877, et un autre, presque le même, à La Hague l'an dernier. Pour aussi usée que soit l'idée, toutefois, il y a eu aujourd'hui un ou deux détails assez nouveaux pour moi. Mais la jeune fille elle-même m'a appris bien davantage.

— On dirait que vous avez lu sur elle des tas de choses qui sont demeurées pour moi tout à fait invisibles, hasardai-je.

— Pas invisibles : mais vous ne les avez pas remarquées, Watson. Vous ne savez pas regarder, c'est ce qui vous fait manquer l'essentiel. Je désespère de vous faire comprendre un jour l'importance des manches, ou ce que peut suggérer un ongle de pouce, voire un lacet de soulier. Qu'avez-vous déduit de l'allure de cette femme ? Décrivez-la-moi d'abord.

— Voyons : elle avait un chapeau à large bord, couleur gris ardoise, avec une plume rouge brique. Sa jaquette était noire, avec des perles noires cousues dessus, et bordée d'une parure noire comme du jais. Elle avait une robe brune, plus foncée que couleur café, avec une petite peluche pourpre au cou et aux manches. Ses gants étaient gris, usés à l'index droit. Je n'ai pas observé ses souliers. Elle porte des petites boucles d'oreilles en or. Elle est d'apparence aisée, quoique vulgaire, confortable.

Sherlock Holmes battit des mains, et gloussa ironiquement.

— Ma parole, Watson, vous êtes en gros progrès ! En vérité vous n'avez pas oublié grand-chose : sauf un détail d'importance, mais je vous félicite pour votre méthode, et vous avez l'œil juste pour la couleur. Ne vous fiez jamais à une impression générale, cher ami, mais concentrez-vous sur les détails. Mon premier regard, s'il s'agit d'une femme, est pour ses manches. S'il s'agit d'un homme, pour les genoux du pantalon. Vous l'avez remarqué, cette femme avait de la peluche sur ses manches, et la peluche est un élément très utile, car elle conserve des traces. Ainsi la double ligne un peu au-dessus du poignet, à l'endroit où la dactylo appuie contre la table. La machine à coudre, à la main, laisse une marque semblable, mais seulement sur le bras gauche et du côté le plus éloigné du pouce. Ensuite j'ai examiné son visage et j'ai constaté la trace d'un pince-nez ; j'ai aventuré une remarque sur sa myopie et sur la machine à écrire ; elle en a été fort étonnée.

— Moi aussi.

— Pourtant cette remarque allait de soi. J'ai ensuite été surpris, et intéressé, en faisant descendre mon regard vers les souliers : c'étaient d'étranges souliers ! Je ne dis pas qu'ils appartenaient à deux paires différentes ; mais l'un avait un bout rapporté à peine nettoyé, et l'autre propre. De ces souliers, qui étaient d'ailleurs des bottines, l'un était boutonné seulement par les deux boutons inférieurs, et l'autre aux premier, troisième et cinquième boutons. Hé bien ! Watson, quand on voit une jeune dame, par ailleurs vêtue avec soin, sortir de chez elle dans un pareil désordre de chaussures, il n'est pas malin de penser qu'elle est partie en grande hâte.

— Et quoi encore ? demandai-je, vivement intéressé une fois de plus par la logique incisive de mon camarade.

— J'ai remarqué, en passant, qu'elle avait écrit une lettre ou une note avant de sortir, mais alors qu'elle était habillée. Vous avez observé que son gant droit était usé à l'index, mais vous n'avez pas vu qu'à la fois le gant et le doigt étaient légèrement tachés d'encre violette. Elle était pressée, et elle a enfoncé trop loin sa plume dans l'encrier. Cela ne doit pas remonter à plus tard qu'à ce matin; autrement la trace n'aurait pas été si nette. Tout ceci est bien amusant! Un peu élémentaire, sans doute... Mais il faut que je me mette au travail, Watson. Auriez-vous l'obligeance de me lire le texte de l'annonce qui donne la description de M. Hosmer Angel?

J'approchai la petite coupure de la lampe, et je lus :

— Titre « On recherche... » Voici le texte : « Un gentleman, nommé Hosmer Angel a disparu depuis le 14 au matin. Taille à peu près 1 m. 70 : bien bâti, teint jaune, cheveux noirs, début de calvitie au sommet, favoris noirs et moustache. Lunettes teintées. Léger défaut de prononciation. La dernière fois qu'il fut aperçu, portait une redingote noire bordée de soie, un gilet noir, une chaîne de montre en or, des pantalons gris de tweed écossais, des guêtres brunes sur des souliers à côtés élastiques. A été employé dans un bureau de Leadenhall Street. Toute personne qui pourra contribuer, etc. »

— Cela suffit, dit Holmes. Passons aux lettres... Elles sont d'une banalité ennuyeuse, et ne nous apprennent rien sur M. Angel, sauf qu'en une occasion il cite Balzac. Cependant, voici un détail important qui vous frappera sans doute.

— Elles sont tapées à la machine à écrire...

— Certes; mais la signature également est tapée à la machine à écrire. Voyez ce net petit « Hosmer Angel » au bas. Il y a bien la date, mais pas l'adresse, sauf Leadenhall Street, ce qui est assez vague. Ce détail de la signature est très suggestif; je vais dire : concluant!

— En quoi ?

— Mon cher ami, est-il possible que vous ne discerniez point son importance ?

— Je ne saurais vous dire que je discerne quelque chose, sauf, peut-être, que ce monsieur voulait se réserver la possibilité de renier sa signature pour le cas où serait engagée une action judiciaire pour rupture de contrat.

— Non, ce n'est pas cela. Tout de même, je vais écrire deux lettres qui devraient résoudre le problème. L'une à une firme de la City, l'autre au beau-père de la jeune demoiselle, pour lui demander de nous rencontrer demain soir à six heures. C'est beaucoup mieux d'avoir affaire à des hommes ! Et maintenant, docteur, nous ne pouvons rien faire avant d'avoir reçu réponse à ces deux lettres ; d'ici là, rangeons ce petit problème dans un tiroir que nous fermerons à clé.

J'avais eu tellement de bonnes raisons de me fier à la subtilité du raisonnement de mon ami ainsi qu'à l'énergie de son activité que je sentis qu'il ne devait pas manquer de bases solides pour traiter avec cette sorte de désinvolture le singulier mystère qui lui avait été soumis. Je ne l'avais vu se tromper qu'une fois, dans l'affaire du roi de Bohême et de la photographie d'Irène Adler. Et si je me reportais aux péripéties du *Signe des Quatre,* ou de l'*Etude en Rouge,* je me disais qu'il n'existait pas au monde une énigme qu'il ne fût capable de déchiffrer.

Je le laissai donc en tête à tête avec sa pipe noire. J'avais la conviction que, lorsque je reviendrais le lendemain soir, je le trouverais tenant dans sa main les divers fils qui lui permettraient de découvrir le fiancé de Mlle Mary Sutherland.

Toute mon attention fut d'ailleurs requise par un cas médical d'une extrême gravité, et je passai presque toute la journée au chevet du malade. Je ne pus me libérer que quelques minutes avant six heures, mais je sautai dans un fiacre et me fis conduire à Baker Street. Je ne voulais pas manquer d'assister au dénouement de l'affaire. Sherlock Holmes était seul ; il dormait à moitié, pelotonné au fond de son fauteuil. Une formidable armée de bouteilles et d'éprouvettes, parmi des relents d'acide chlorhydrique, m'apprit qu'il avait consacré sa journée à ses chères expériences chimiques.

— Hé bien ! vous avez trouvé ? demandai-je en entrant.

— Oui. C'était le bisulfate de baryte.

— Non, non : la clé de l'énigme ?

— Ah ! l'énigme ? Je pensais au sel sur lequel j'ai travaillé. Mais il n'y a jamais eu d'énigme, mon cher ! Bien que quelques détails m'aient intéressé, comme je vous le disais hier. Ce qui m'ennuie, c'est qu'aucune loi, je le crains, ne doit s'appliquer au coquin.

— Qui est-ce donc ? Et pourquoi a-t-il abandonné Mlle Sutherland ?

Ma phrase n'était pas terminée, et Holmes ouvrait déjà la bouche pour me répondre, que nous entendîmes un bruit de pas dans le couloir ; quelqu'un frappa à la porte.

— Voilà le beau-père de la demoiselle, M. James Windibank, annonça Holmes. Il m'avait répondu qu'il serait là à six heures. Entrez !

Le visiteur était un homme robuste, de taille moyenne. Il paraissait trente ans. Sur son visage jaunâtre, ni moustache, ni barbe, ni favoris. Il avait l'allure doucereuse, insinuante. Ses yeux gris étaient magnifiques de vivacité et de pénétration. Il nous décocha à chacun un regard interrogateur, posa son chapeau sur le buffet, s'inclina légèrement et se laissa glisser sur la chaise la plus proche.

— Bonsoir, monsieur James Windibank, dit Holmes. Je suppose que cette lettre tapée à la machine, qui confirme notre rendez-vous pour six heures, est bien de vous ?

— Oui, monsieur. Je suis un peu en retard, mais je ne suis pas mon maître, n'est-ce pas ? Vous me voyez désolé que Mlle Sutherland vous ait ennuyé avec cette petite affaire ; il me semble en effet préférable de ne pas étaler son linge sale en public. C'est tout à fait contre ma volonté qu'elle est venue ; mais elle a un naturel impulsif, émotif, comme vous avez pu le remarquer, et il est difficile de la raisonner quand elle a pris une décision. Bien sûr, je suis moins gêné que ce soit à vous qu'elle se soit adressée, puisque vous n'avez rien à voir avec la police officielle, mais je ne trouve pas agréable que l'on fasse tant de bruit autour d'un malheur de famille. Enfin, il s'agit là de frais inutiles : car comment pourriez-vous retrouver cet Hosmer Angel ?

— Au contraire, dit paisiblement Holmes. J'ai toute raison de croire que je réussirai à découvrir M. Hosmer Angel.

M. Windibank sursauta et laissa tomber ses gants.

— Je suis ravi de cette nouvelle ! dit-il.

— C'est étonnant, fit Holmes, comme les machines à écrire possèdent leur individualité propre ! presque autant que l'écriture humaine. A moins qu'elles ne soient tout à fait neuves, elles n'écrivent jamais de la même façon. Certaines lettres sont plus usées que d'autres, il y en a qui ne s'usent que d'un côté... Tenez, dans votre lettre monsieur Windibank, sur tous les *e* on relève une petite tache ; de même les *t* ont un léger défaut à leur barre. J'ai compté quatorze autres caractéristiques ; ces deux-là sautent aux yeux.

— C'est sur cette machine qu'au bureau nous faisons toute notre correspondance ; indubitablement elle n'est plus en très bon état.

Tout en répondant, notre visiteur pesa sur Holmes de toute l'acuité de son regard.

— Et maintenant je vais vous montrer, monsieur Windibank, une étude réellement très intéressante, poursuivit Holmes. Je compte écrire bientôt une brève monographie sur la machine à écrire et son utilisation par les criminels. C'est un sujet auquel j'ai accordé quelques méditations. J'ai ici quatre lettres qui m'ont été présentées comme émanant du disparu. Elles sont toutes tapées à la machine. Chacune présente les petites taches sur les *e* et des barres en mauvais état sur les *t*. Si vous consentez à prendre ma loupe, je vous montrerai les quatorze autres caractéristiques auxquelles je faisais allusion tout à l'heure.

M. Windibank sauta de sa chaise et empoigna son couvre-chef.

— Je n'ai pas de temps à perdre pour une

conversation aussi fantaisiste, monsieur Holmes! dit-il. S'il est en votre pouvoir de rattraper l'homme, rattrapez-le : quand ce sera fait, vous me préviendrez.

— Certainement! fit Holmes en se levant et en fermant la porte à double tour. Apprenez donc que je l'ai rattrapé...

— Comment! Où? cria M. Windibank tout pâle et regardant autour de lui comme un rat pris au piège.

— Oh! cela ne fait rien... Rien du tout! dit Holmes non sans suavité. Il n'y a plus moyen de vous en tirer, monsieur Windibank. Tout était trop transparent, et vous m'avez fait un mauvais compliment quand vous avez avancé qu'il me serait impossible de résoudre un problème aussi simple. Allons! Asseyez-vous, et parlons!

Notre visiteur s'effondra dans un fauteuil. Il était blême et de la sueur perlait sur son front.

— La... La justice ne peut rien contre moi! bégaya-t-il.

— J'en ai peur. Mais entre nous, Windibank, le tour que vous avez joué est abominablement mesquin, cruel, et égoïste... Je vais retracer le cours des événements, et vous me corrigerez si je me trompe.

L'homme était blotti dans son fauteuil, avec la tête rentrée dans la poitrine. Littéralement aplati! Holmes cala ses pieds contre le coin de la cheminée et, s'appuyant en arrière avec les deux mains dans les poches, commença à parler. J'avais l'impression qu'il se parlait à lui-même, plutôt qu'à nous.

— L'homme a épousé pour de l'argent une femme beaucoup plus âgée que lui, dit-il. Et il a

joui de l'argent de la fille qui vivait avec eux. Cela faisait une somme considérable pour des gens dans leur situation ; s'ils la perdaient, la différence serait d'importance ; un effort méritait donc d'être tenté. La fille possédait un tempérament naturellement bon et aimable ; mais elle était sensible et elle avait, à sa manière, le cœur chaud. De toute évidence, en tenant compte de son attrait personnel et de sa petite fortune, il fallait s'attendre à ce qu'elle ne demeurât point longtemps célibataire. Or son mariage représentait, aux yeux de son beau-père, la perte de cent livres par an. Que fit ledit beau-père, pour l'empêcher de se marier ? Il commença, c'est la règle, par lui interdire de sortir et d'aller avec des garçons de son âge. Il ne tarda pas à découvrir que cette interdiction ne serait pas éternellement valable : elle se rebella, fit valoir ses droits, et finalement annonça son intention de se rendre à un certain bal. Quelle idée germa alors dans l'esprit du beau-père ? Oh ! il est plus logique de la porter au crédit de sa tête que de son cœur ! Avec la complicité et l'aide de sa femme, il se déguisa : il masqua ses yeux vifs derrière des lunettes teintées, il se para de favoris postiches ; il mua cette voix claire en un chuchotement doucereux, et, profitant de la myopie de sa belle-fille, il apparut sous les traits de M. Hosmer Angel : ainsi éloignait-il les amoureux en jouant lui-même l'amoureux passionné.

— Au début, il ne s'agissait que d'une farce ! gémit notre visiteur. Nous n'avions jamais pensé qu'elle s'enflammerait aussi facilement.

— Peut-être. Quoi qu'il en soit, la jeune fille

s'est enflammée : comme elle croyait son beau-père en France, l'idée d'une supercherie n'effleura jamais son esprit. Elle était flattée par les attentions du gentleman, et cette sorte de vanité qu'elle en tirait était encore renforcée par l'admiration hautement laudative de la mère. M. Hosmer Angel dut alors se déclarer : l'affaire pouvait aller aussi loin qu'il le souhaitait. Il y eut des rencontres, des fiançailles : si bien que toute la capacité affective et amoureuse de la jeune fille se trouvait concentrée sur ce faux objet de tendresse. La tromperie ne pouvait cependant pas se prolonger indéfiniment. Que restait-il à faire ? Rien d'autre que de brusquer la conclusion de l'affaire d'une manière si dramatique que la jeune fille en demeurerait profondément impressionnée : assez du moins pour écarter à l'avenir tous les soupirants possibles. D'où ce serment de fidélité prêté sur la Bible ; d'où, également, ces allusions à une éventualité quelconque le matin même des noces. James Windibank tenait à ce que Mlle Mary Sutherland fût si amoureuse de Hosmer Angel, et si incertaine quant à son sort, que pendant les dix prochaines années elle n'écoutât point d'autre homme. Il la mena jusqu'à la porte de l'église ; là, comme il ne pouvait pas aller plus loin, il s'évanouit... C'est un vieux truc de se glisser hors d'un fiacre par la porte opposée à celle par laquelle on est entré ! Me suis-je trompé sur le cours de l'enchaînement des circonstances, monsieur Windibank ?

Notre visiteur avait repris un peu d'assurance pendant le monologue de Holmes. Il se leva : son pâle visage ricanait.

— Vous ne vous êtes peut-être pas trompé, monsieur Holmes, dit-il. Mais puisque vous êtes si malin, vous devriez savoir que si quelqu'un est en contravention avec la loi à présent, c'est vous, et non moi. Depuis le début, je n'ai rien commis qui intéresse la justice. Mais vous, aussi longtemps que vous tiendrez cette porte fermée à clé, vous tombez sous le coup d'une plainte pour violence et séquestration arbitraires.

— Comme vous dites, vous n'êtes pas en contravention avec la loi, dit Holmes en ouvrant la porte toute grande. Et cependant vous méritez la punition la plus cruelle : si la jeune fille avait un frère ou un ami, vous seriez châtié à coups de fouet !...

Comme le ricanement de l'homme s'accentuait, Sherlock Holmes rougit de colère.

— Cela ne fait pas partie des services que je rends à mes clients, mais voici un joli stick de chasse, et vous allez en goûter...

Il saisit son stick, mais avant qu'il eût eu le temps de l'empoigner, il entendit une dégringolade dans l'escalier : la lourde porte de l'entrée claqua ; de la fenêtre, nous aperçûmes M. James Windibank qui dévalait la rue à toutes jambes.

— C'est un coquin à sang-froid ! proclama Holmes.

Il éclata de rire et se jeta dans son fauteuil.

— Ce type, déclara-t-il, ira loin : de crime en crime, jusqu'à ce qu'il finisse à la potence ! C'est pourquoi cette affaire n'était pas tout à fait dénuée d'intérêt.

— Tout de même, dis-je, je n'ai pas suivi parfaitement la marche de vos déductions.

— Allons ! Depuis le début il était clair que ce M. Hosmer Angel avait une bonne raison pour se comporter aussi bizarrement. Clair également que le seul qui eût profité des événements était le beau-père. Or jamais les deux hommes ne se sont trouvés ensemble. Il y en avait un qui apparaissait quand l'autre disparaissait : c'était déjà une indication ! Et puis les lunettes teintées, la voix particulière : deux maquillages, comme les favoris… Mes soupçons furent confirmés par la signature tapée à la machine ; il s'agissait de cacher une écriture, trop familière pour que la jeune fille ne la reconnût point à quelque signe. Tous ces détails isolés, rassemblés et combinés à d'autres moins évidents, me conduisaient dans une seule et même direction.

— Et comment les avez-vous vérifiés ?

— Ayant détecté mon homme, rien n'était plus facile que de réunir des preuves. Je connaissais la société pour qui il travaillait. Je possédais son portrait, paru dans un journal. Je commençai par éliminer tout ce qui pouvait être le produit d'un déguisement : les favoris, les lunettes, la voix. Je l'envoyai à la société, en demandant qu'elle ait l'obligeance de m'avertir si ce signalement correspondait à l'un de ses représentants. Déjà j'avais relevé les particularités de la machine à écrire, et j'écrivis à mon bonhomme une lettre, adressée à sa société, le priant de passer me voir. Comme je m'y attendais, il me répondit par une lettre tapée à la machine à écrire, et cette lettre présentait les défauts caractéristiques que j'avais relevés sur les autres. Le même courrier m'apporta une lettre de Westhouse & Marbank, de Fenchurch Street, qui me confirmait que la description que j'avais faite répondait trait pour trait à celle de leur représentant, M. James Windibank. Voilà tout !

— Et Mlle Sutherland ?

— Si je lui dis la vérité, elle ne me croira pas. Vous rappelez-vous le vieux proverbe persan ? « Il risque gros, celui qui arrache à une tigresse son petit ! Mais celui qui ôte à une femme ses illusions risque davantage. » Dans Hafiz, il y a autant de sagesse que dans Horace, et une connaissance des humains aussi profonde !

LE MYSTÈRE DU VAL BOSCOMBE

Un matin, nous étions assis, ma femme et moi, devant notre petit déjeuner, quand la bonne m'apporta un télégramme. Il était signé de Sherlock Holmes, et il était rédigé comme suit :

Avez-vous deux jours à perdre? Viens de recevoir une dépêche de l'ouest de l'Angleterre en rapport avec la tragédie du val Boscombe. Serais heureux de vous emmener. Air et décor excellents. Quitterai Paddington par le 11 h 15.

— Qu'en dites-vous, mon chéri? interrogea ma femme. Partirez-vous avec lui?

— Je ne sais pas quoi décider. Pour ces jours-ci j'ai justement beaucoup de rendez-vous...

— Bah! Anstruther fera l'intérim. Vous vous sentiez un peu fatigué. Ce changement d'air vous remettra. Et puis, les affaires de M. Sherlock Holmes vous passionnent toujours!

— Si elles ne m'intéressaient pas, je serais en vérité bien ingrat, dis-je. La moindre m'apprend toujours des tas de choses... Mais si je veux partir, il faut que je fasse ma valise tout de suite, car je dispose seulement d'une demi-heure.

La vie de camp que j'avais menée en Afghanistan m'avait au moins dressé à être rapidement prêt pour toutes sortes de déplacements. Je n'avais que peu de besoins, et ils étaient simples : aussi, une demi-heure plus tard, je me trouvais dans un fiacre avec ma valise, roulant vers la gare de Paddington. Sur le quai, Sherlock Holmes faisait les cent pas. Sa silhouette longue et mince paraissait encore plus longue et plus mince sous le costume de voyage et la casquette bien ajustée.

— C'est vraiment très gentil à vous d'être venu, Watson ! me dit-il. Je ne suis plus du tout le même homme quand je ne suis pas seul et que je puis me fier entièrement à quelqu'un. Des autorités locales, je ne dois attendre qu'une aide inefficace, ou réduite par certaines préventions. Gardez ces deux places de coin, je vais prendre les billets.

Nous eûmes le compartiment pour nous seuls, ce qui permit à Holmes d'étaler un énorme paquet de journaux, parmi lesquels il chercha sa pâture ; il ne s'interrompit que pour prendre des notes et réfléchir. Puis tout à coup il en fit de grosses boules et les jeta, sauf une, par la fenêtre du wagon.

— Connaissez-vous l'affaire ? me demanda-t-il.

— Absolument pas. Je n'ai pas ouvert un journal depuis plusieurs jours.

— La presse de Londres a été plutôt avare de détails. J'y ai donné un coup d'œil afin d'être au courant de l'ensemble. A première vue, il s'agit de l'une de ces affaires fort simples et extrêmement difficiles.

— Voilà qui ressemble à un paradoxe...

— Mais qui est rigoureusement exact ! La bizarrerie fournit presque toujours un indice, une piste. Mais plus un crime est banal, plus il est difficile d'en découvrir l'auteur. Dans le cas présent, le fils de l'homme qui a été assassiné est l'objet de présomptions graves.

— Il s'agit donc d'un assassinat ?

— On le dit. Jusqu'à ce que j'aie pu me livrer

à mon enquête personnelle, je ne me porte garant de rien. Je vais vous expliquer de quoi il retourne, d'après ce que j'ai démêlé de mes lectures.

» Le val Boscombe est une région proche de Ross, dans le Herefordshire. Le plus gros propriétaire terrien de l'endroit s'appelle M. John Turner, qui fit fortune en Australie et revint au pays il y a quelques années. L'une de ses fermes, celle de Hatherley, fut louée à M. Charles McCarthy, qui était allé lui aussi en Australie. Les deux hommes s'étaient connus là-bas ; rien d'anormal par conséquent à ce qu'ils s'établissent aussi près que possible l'un de l'autre. Turner était apparemment le plus riche des deux. Ce qui explique que McCarthy devint son fermier locataire ; mais il semble qu'ils vivaient sur un pied de parfaite égalité ; ils étaient fréquemment ensemble. McCarthy avait un fils unique, de dix-huit ans ; Turner, une fille unique du même âge. Tous deux étaient veufs. Ils évitaient, si j'en crois les journaux, de fréquenter les familles anglaises du voisinage et ils menaient une existence assez retirée. Notons pourtant que les deux McCarthy aimaient le sport, et qu'on les rencontra souvent aux courses dans la région. McCarthy avait deux domestiques : un valet et une servante. Turner en avait beaucoup plus : une demi-douzaine au moins. Voilà ce que j'ai pu recueillir sur les familles. A présent, passons aux faits.

» Le 3 juin, c'est-à-dire lundi dernier, McCarthy sortit de sa ferme de Hatherley vers trois heures de l'après-midi, et se dirigea à pied vers la mare de Boscombe, petit lac formé par un bras de la rivière qui descend le val Boscombe. Le matin, il était sorti avec son valet pour aller à Ross, et il lui avait dit qu'il était pressé, qu'il avait un rendez-vous important à trois heures. De ce rendez-vous, il n'est pas revenu vivant.

» De la ferme de Hatherley à la mare de Boscombe il y a environ quatre cents mètres. Deux personnes l'aperçurent sur le chemin. L'une est une vieille femme, dont on n'a pas cité le nom ; l'autre est William Crowder, garde-chasse au service de M. Turner. Ces deux témoins déposèrent que M. McCarthy marchait seul. Le garde-chasse ajouta que quelques minutes plus tard il vit passer le fils de M. McCarthy, James McCarthy, se dirigeant lui aussi vers la mare, avec un fusil sous le bras. Selon lui, le père était parfaitement en vue du fils, qui le suivait. Il ne songea plus à cette double rencontre avant le soir lorsqu'il apprit le drame qui était intervenu.

» Les deux McCarthy furent aperçus après que le garde-chasse William Crowder les eut dépassés. La mare de Boscombe est entourée de bois épais ; sur ses bords, il n'y a que de l'herbe et des roseaux. Une fillette de quatorze ans, Patience Moran, fille du gardien du domaine du val Boscombe, se trouvait dans les bois en train de cueillir des fleurs. Elle a déclaré que, pendant qu'elle était là, en bordure du bois et près de la mare, elle vit M. McCarthy et son fils qui semblaient se quereller. Elle entendit M. McCarthy parler très durement à son fils, et elle vit celui-ci lever une main comme s'il allait frapper son père. La véhémence de leur dispute l'épouvanta, elle s'enfuit en courant, et elle rapporta à sa mère, dès son retour à la maison, qu'elle venait de quitter les deux McCarthy près de la mare de Boscombe et qu'elle avait peur qu'ils se fussent battus. A peine avait-elle achevé sa confidence que le jeune M. McCarthy accourait chez le gardien : il déclara qu'il avait trouvé son père mort dans le bois, et il venait requérir l'aide du gardien. Il était très excité, il n'avait ni son fusil ni son chapeau ; sa main droite et sa manche étaient tachées de sang frais. Ils le suivirent, et découvrirent le cadavre du père, étendu sur l'herbe à côté de la mare. La tête avait été défoncée par les coups répétés d'une arme lourde et contondante. Les blessures auraient très bien pu avoir été infligées par la crosse du fusil du fils ; on retrouva ledit fusil sur l'herbe à quelques mètres du cadavre ; aussitôt le jeune homme fut mis en état d'arrestation ; un verdict d'homicide volontaire a été rendu mardi à l'enquête judiciaire ; mercredi il a été conduit devant les magistrats de Ross ; le procès sera plaidé à la prochaine session des assises. Voici les faits essentiels de l'affaire, tels qu'ils ont été exposés au coroner et au tribunal.

— On peut difficilement en imaginer de plus accablants, observai-je. Si jamais des circonstances ont accusé un criminel, c'est bien le cas ici.

— Il faut se méfier de la preuve par les circonstances, répondit Holmes pensivement. Elle semble conduire tout droit à une seule conclusion ; mais si vous modifiez légèrement votre point de vue, vous constaterez souvent qu'elle conduit non moins catégoriquement à

une conclusion très différente. Je reconnais bien entendu qu'à première vue l'affaire paraît extrêmement grave pour le jeune homme, et il est fort possible qu'il soit le coupable. Dans le pays, cependant, plusieurs personnes croient en son innocence ; dont Mlle Turner, la fille du propriétaire voisin. Elle a chargé Lestrade, dont le nom vous rappelle l'*Etude en Rouge,* de prendre l'affaire en main pour défendre les intérêts du jeune homme. Lestrade, assez embarrassé, me l'a soumise. Et voilà pourquoi deux gentlemen sont en train de rouler à quatre-vingts kilomètres à l'heure au lieu de déjeuner paisiblement chez eux.

— Je crains, dis-je, que l'évidence des faits ne soit si éclatante que cette affaire n'ajoute rien à votre réputation.

— Rien de plus trompeur qu'un fait évident, répondit Holmes en riant. Par ailleurs nous pouvons avoir la chance de mettre la main sur quelques autres faits non moins évidents... des faits dont l'évidence n'est peut-être pas apparue à M. Lestrade. Vous me connaissez depuis trop longtemps pour supposer que je suis un vantard lorsque j'avance que je serai capable de confirmer ou d'infirmer son opinion par des méthodes dont je désespère qu'il les emploie un jour, et même qu'il les comprenne. Pour prendre un exemple, je suis prêt à parier n'importe quoi que dans votre chambre à coucher la fenêtre est à droite ; et je parierais non moins cher que M. Lestrade ne verra jamais une chose aussi évidente.

— Comment, au nom du Ciel...

— Mon bon ami, je vous connais bien ! Je

connais la propreté toute militaire qui est l'une de vos qualités : vous vous rasez chaque matin ; en cette saison vous vous rasez à la lumière du jour. Mais votre barbe est mal rasée vers le côté gauche ; elle tourne même au négligé autour du menton… Il est donc évident que ce côté est moins bien éclairé que l'autre. Il n'existe pas un homme avec vos habitudes qui, se regardant dans une glace sous une lumière également répartie, se contenterait d'un résultat aussi piteux ! Ceci est un exemple vulgaire d'observation et d'induction. Mais le secret de mon métier réside dans l'observation et la logique : peut-être en ferai-je quelque avantage dans l'enquête qui nous attend. Il y a un ou deux détails qui ressortent de l'enquête et qui mériteraient d'être mis en lumière…

— Lesquels ?

— Il semble que l'arrestation du jeune McCarthy n'a pas eu lieu immédiatement, mais après son retour à la ferme de Hatherley. A l'inspecteur de police qui l'informait qu'il le mettait en état d'arrestation, il déclara qu'il n'en était pas surpris et qu'il ne récoltait que ce qu'il méritait. Pareille déclaration eut pour conséquence naturelle de bannir tous les doutes qui auraient pu subsister dans les esprits des jurés.

— C'était une confession !

— Non, puisqu'elle fut suivie d'une protestation de son innocence.

— Venant au terme d'une telle série de circonstances accablantes, c'était au moins une déclaration fort suspecte !

— Au contraire ! fit Holmes. Elle représente

la seule éclaircie que je discerne pour l'instant dans les nuages. Pour aussi innocent qu'il fût, il ne pouvait pas se rendre compte que les circonstances lui étaient extrêmement défavorables : il y a des limites à tout, même à l'imbécillité ! S'il avait montré de l'étonnement à la nouvelle de son arrestation, ou s'il avait simulé de l'indignation, je l'aurais hautement suspecté : étant donné les événements, de la surprise ou de l'indignation auraient été anormales, bien qu'elles eussent pu apparaître comme la meilleure politique pour un homme aux abois. Son acceptation délibérée de la situation le désigne ou bien comme un innocent, ou bien comme un « dur » capable de se contenir. Quant à sa déclaration sur ce qu'il mérite, elle n'était pas tellement anormale si l'on considère qu'il la fit devant le cadavre de son père et que, sans aucun doute, il avait ce jour-là manqué à son devoir filial au point d'avoir eu des mots irrespectueux, et même aussi d'avoir levé la main, aux dires de la fillette dont le témoignage est très important, comme s'il avait voulu frapper l'auteur de ses jours. La contrition et le remords dont est empreinte cette déclaration m'apparaissent davantage comme une manifestation de santé morale que comme une preuve de culpabilité.

Je secouai la tête :

— Beaucoup d'hommes ont été pendus sur des preuves moins formelles.

— C'est vrai. Et beaucoup d'hommes ont été pendus à tort.

— Quelle est la version du jeune homme sur l'affaire ?

— Pas très rassurante, à mon avis, pour ses supporters. Un ou deux points, cependant, sont évocateurs... Vous les trouverez ici, et vous pouvez lire vous-même.

Il me tendit un exemplaire du journal local du Herefordshire et me montra les lignes où était consignée la déposition de l'infortuné jeune homme. Je m'enfonçai parmi les coussins du compartiment et je lus avec une grande attention ce qui suit :

« M. James McCarthy, le fils unique du défunt, fut alors entendu et fournit le témoignage que voici : « — J'étais allé passer trois jours à Bristol et j'étais rentré lundi dernier au matin. Mon père était absent lorsque j'arrivai, et la servante m'apprit qu'il s'était rendu à Ross avec le valet John Cobb. Peu après mon retour, j'entendis dans la cour les roues de sa charrette anglaise. De ma fenêtre, je le vis descendre et traverser la cour, sans remarquer toutefois vers où il se dirigeait exactement. Je pris alors mon fusil et marchai dans la direction de la mare de Boscombe. J'avais l'intention d'aller rendre visite à la garenne qui se trouve de l'autre côté. Sur mon chemin, j'ai vu William Crowder, le garde-chasse, ainsi qu'il en a témoigné lui-même ; mais il s'est trompé en déclarant que je suivais mon père : je ne savais absolument pas qu'il me précédait. J'étais arrivé à moins d'une centaine de mètres de la mare que j'entendis : « *Cooee !* » C'était le cri qui nous servait de signal à mon père et à moi. Je me mis à courir, et je l'aperçus au bord de la mare : très étonné de me voir, il me demanda assez rudement ce que je faisais là. Nous échangeâmes quelques paroles plutôt vives, et presque des coups, car mon père possédait un caractère emporté, très violent. Voyant que son humeur ne s'améliorait point, je le quittai et repartis pour la ferme de Hatherley. Je n'avais pas fait cent cinquante mètres que j'entendis derrière moi un cri horrible : à toute vitesse, je rebroussai chemin, et je trouvai mon père expirant dans l'herbe, avec de graves blessures à la tête. Je laissai tomber mon fusil, et je le pris dans mes bras, mais il mourut presque aussitôt. Je restai agenouillé près de lui quelques instants ; puis je me précipitai chez le gardien, dont la demeure était la plus proche, afin d'obtenir de l'aide. Quand j'étais accouru auprès de mon père, après avoir entendu le cri, je n'avais rencontré personne, et je n'ai aucune idée sur l'auteur de l'attentat. Mon père n'était pas très populaire dans le pays : il se montrait

volontiers distant et froid. Mais pour autant que je le sache, il n'avait pas d'ennemi déclaré. Je ne peux rien dire de plus. »

» Le coroner. — Votre père vous a-t-il dit quelque chose avant d'expirer ?

» Le témoin. — Il a murmuré quelques mots ; j'ai seulement compris qu'il parlait d'un rat.

» Le coroner. — Comment interprétez-vous cette… allusion ?

» Le témoin. — Elle ne comportait pour moi aucune signification. J'ai pensé qu'il délirait.

» Le coroner. — A quel sujet vous êtes-vous disputé avec votre père ?

» Le témoin. — Je préférerais ne pas répondre.

» Le coroner. — Je vous y invite cependant.

» Le témoin. — Réellement, il m'est impossible de vous le dire. Je peux vous assurer que le sujet de notre dispute n'avait absolument rien à voir avec le drame qui a suivi.

» Le coroner. — La Cour appréciera… Je n'ai pas besoin de souligner à votre intention que votre refus de répondre aggravera considérablement votre cas dans l'avenir.

» Le témoin. — Je dois refuser encore une fois.

» Le coroner. — Le cri « *Cooee !* » était un signal habituel entre votre père et vous ?

» Le témoin. — Oui.

» Le coroner. — Comment se fait-il, alors, qu'il ait lancé ce signal avant qu'il vous ait aperçu, avant même de savoir que vous étiez rentré de Bristol ?

» Le témoin, très embarrassé. — Je ne sais pas.

» Un membre du jury. — N'avez-vous rien vu qui ait éveillé vos soupçons quand vous êtes revenu sur vos pas après avoir entendu le cri, et que vous ayez trouvé votre père blessé à mort ?

» Le témoin. — Rien de précis.

» Le coroner. — Que voulez-vous dire par là ?

» Le témoin. — J'étais si troublé et si agité quand je me suis rué vers l'endroit d'où le cri avait été poussé que je n'ai pensé à rien d'autre qu'à mon père. Pourtant j'ai une vague impression que, tandis que je me penchais sur lui, une forme était étendue par terre sur ma gauche : quelque chose de grisâtre, un costume de cette couleur, ou peut-être une couverture, je ne sais pas. Quand je me suis relevé, je me suis rappelé cette impression ; j'ai cherché du regard, mais plus rien !

» — Voulez-vous dire que cette forme avait disparu avant que vous couriez pour chercher du secours ?

» — Oui ; elle avait disparu.

» — Vous êtes incapable de préciser ce que c'était ?

» — Incapable. J'avais le sentiment qu'il y avait quelque chose : c'est tout.

» — A quelle distance du corps de votre père ?

» — Une dizaine de mètres à peu près.

» — Et à quelle distance de la bordure du bois ?

» — Environ dix mètres, aussi.

» — Donc si cette forme s'était éloignée,

ç'aurait été pendant que vous vous trouviez à une dizaine de mètres d'elle ?

» — Oui, mais je lui tournais le dos.

» Ainsi se termina l'interrogatoire du témoin. »

Je regardai vers le bas de la page.

— Je vois, dis-je, que dans ses conclusions le coroner s'est montré plutôt sévère contre le jeune McCarthy. Il attire l'attention, et avec raison, sur la contradiction qui existe à propos de cet appel du père alors qu'il ne savait pas que son fils était dans les environs, et sur le refus de James McCarthy de révéler le motif de sa dispute, et le singulier compte rendu qu'il donne des derniers mots du défunt. Tout ceci, comme il le déclare, est à charge contre le fils.

Holmes rit gentiment, et s'allongea sur les coussins.

— Tous les deux, vous et le coroner, dit-il, vous avez beaucoup souffert pour mettre en lumière les points positifs à l'actif du jeune homme ! Ne voyez-vous pas qu'alternativement vous lui avez reconnu trop et trop peu d'imagination ? Trop peu puisqu'il n'a pas su inventer un motif de dispute qui lui aurait attiré la sympathie du jury. Trop s'il imagine quelque chose d'aussi invraisemblable que l'allusion d'un mourant à un rat, et la disparition d'une forme en étoffe. Non, monsieur ! Quant à moi, j'aborderai cette affaire en partant du point de vue que ce que déclare le jeune homme est vrai, et nous verrons où cette hypothèse nous conduira. Et maintenant voici Pétrarque que j'avais mis dans ma poche ; ne me parlez plus de cette affaire avant que nous soyons sur les lieux !

Il était près de quatre heures quand, après avoir traversé la belle Stroud Valley et la Severn étincelante, nous arrivâmes à la jolie petite cité campagnarde de Ross. Un homme maigre, avec une tête de furet et un regard rusé, nous attendait sur le quai. En dépit du léger cache-poussière marron et des guêtres de cuir qu'il portait en hommage à la rusticité des environs, je reconnus aussitôt Lestrade, de Scotland Yard. En sa compagnie, nous roulâmes vers l'Hôtel Hereford Arms, où une chambre avait été retenue à notre intention.

— J'ai loué une voiture, dit Lestrade pendant que nous dégustions une tasse de thé. Je connais votre allant, et je suis sûr que vous ne serez pas satisfait tant que vous n'aurez pas visité les lieux du crime.

— Vous êtes très aimable, répondit Holmes. Mais c'est uniquement une question de pression barométrique.

— Pardon ? interrogea Lestrade visiblement déconcerté.

— Qu'indique le baromètre ? Pression normale. Et pas de vent. Et pas un nuage dans le ciel. Bon. J'ai ici un paquet de cigarettes qui a besoin d'être fumé. Par ailleurs le canapé me paraît très supérieur à toutes les abominations qu'on rencontre habituellement dans les hôtels de campagne. En conséquence, je déclare improbable que je me serve ce soir de la voiture.

Lestrade sourit avec indulgence :

— Je vois, dit-il, que vous avez déjà tiré vos

conclusions d'après les journaux. L'affaire est claire comme le jour, et plus on y réfléchit, plus elle est simple. Evidemment, on ne peut rien refuser à une dame, surtout à une dame aussi convaincue. Elle a entendu parler de vous, et elle voudrait connaître votre opinion. Remarquez que je lui ai dit et répété que tout ce que vous pourriez faire, je l'avais déjà fait. Mais... Dieu me pardonne ! N'est-ce pas sa voiture à la porte ?

Il n'avait pas fini de parler que dans la pièce où nous nous trouvions faisait irruption l'une des plus ravissantes jeunes femmes que j'eusse jamais vues. Ses yeux violets étincelaient, ses lèvres étaient entrouvertes, elle avait les joues rosies par l'excitation : toute sa réserve naturelle avait fondu sous l'énervement et le chagrin.

— Oh ! monsieur Sherlock Holmes ! s'écria-t-elle en nous dévisageant alternativement, mais en s'arrêtant, avec une intuition bien féminine, sur mon compagnon. Je suis si heureuse que vous soyez venu ! Je suis descendue en voiture pour vous le dire. Je sais que James n'a rien fait ! Je le sais, et je veux que vous commenciez votre enquête en le sachant vous aussi. Ne vous laissez jamais gagner par un doute ! Nous nous connaissons tous les deux depuis notre plus tendre enfance. Je connais ses défauts mieux que quiconque. Mais il a le cœur trop tendre pour faire du mal à une mouche ! Une telle accusation ne tient pas, quand on le connaît bien.

— J'espère que nous pourrons l'innocenter, mademoiselle Turner, dit Sherlock Holmes.

Vous pouvez vous fier à moi : je ferai tout ce qui est en mon pouvoir.

— Mais vous avez lu les témoignages. En avez-vous tiré une conclusion ? N'y avez-vous pas vu une faille, une échappatoire ? Ne croyez-vous pas vous-même qu'il est innocent ?

— Je crois en effet que c'est extrêmement probable.

— Ah ! cria-t-elle en rejetant en arrière sa tête charmante et en lançant un regard de défi à Lestrade. Vous l'avez entendu ? Il me redonne de l'espoir !

Lestrade haussa les épaules.

— J'ai peur, dit-il, que mon collègue n'ait formé un peu vite ses conclusions...

— Mais il ne se trompe pas ! Oh ! je sais qu'il ne se trompe pas : James n'a pas fait cela ! Et quant à la dispute qu'il a eue avec son père, je suis sûre que la raison pour laquelle il a refusé de répondre au coroner est que j'en étais la cause.

— De quelle manière ? demanda Holmes.

— Ce n'est plus l'heure de dissimuler quelque chose. James et son père ne s'accordaient pas à mon sujet. M. McCarthy désirait vivement que nous nous mariions. James et moi, nous nous sommes toujours aimés comme un frère et une sœur, mais bien sûr il est jeune ; il ne connaît guère la vie ; et... et naturellement il ne voulait pas se marier si tôt ! Alors des disputes éclataient, et celle-ci, j'en suis sûre, n'avait pas d'autre objet.

— Et votre père ? interrogea Holmes. Voyait-il ce projet d'un œil favorable ?

— Non. Il y était hostile. Tout le monde y

était hostile ; seul M. McCarthy était pour...

Sous l'un des regards aigus, pénétrants de Holmes, elle rougit.

— Merci pour tous ces renseignements, dit Holmes. Pourrai-je voir votre père si je lui rends visite demain ?

— Je crains que le docteur ne le permette pas.

— Le docteur ?

— Oui. Vous ne savez pas ? Depuis longtemps mon pauvre père n'était plus très fort ; cette affaire l'a jeté complètement à bas. Il est alité, et le docteur Willows dit qu'il est devenu une ruine et que son système nerveux s'est tout à fait détraqué. M. McCarthy était le seul homme qui avait connu papa autrefois dans ses bons jours à Victoria.

— Ah ! A Victoria ? Ceci est important.

— Oui. Aux mines.

— Parfaitement ; dans les mines d'or où,

si je comprends bien, M. Turner a fait fortune.

— Oui.

— Merci, mademoiselle Turner. Vous m'avez beaucoup aidé.

— Vous me direz demain si vous avez découvert du neuf ? Sans doute irez-vous à la prison pour voir James... Oh ! si vous y allez, monsieur Holmes, dites à James, s'il vous plaît, que je sais qu'il est innocent.

— Je le ferai, mademoiselle.

— Il faut que je rentre à la maison : papa est si malade que je lui manque beaucoup quand je sors. Bonsoir ! Et que Dieu vous inspire, monsieur Holmes !

Elle sortit de la pièce encore plus précipitamment qu'elle n'était entrée, et le bruit des roues de sa voiture résonna aussitôt sur le pavé.

— Vous me faites honte, Holmes ! dit Lestrade avec dignité. Pourquoi avez-vous suscité un espoir que vous serez amené à décevoir ? Je ne passe pas pour avoir le cœur tendre, mais j'appelle cela un jeu cruel !

— Je crois que je devine comment innocenter James McCarthy, dit Holmes. Avez-vous une autorisation pour le voir à la prison ?

— Oui ; mais elle n'est valable que pour vous et moi.

— Alors je reconsidère ma décision de ne pas sortir. Avons-nous encore le temps de prendre un train pour Hereford et de le voir ce soir ?

— Très largement.

— Partons donc ! Watson, vous trouverez peut-être le temps long ? Pourtant je ne pense pas être absent plus de deux heures.

Je les accompagnai à la gare, errai à l'aventure dans les rues de la petite ville, puis revins à l'hôtel ; je m'allongeai sur mon lit et tentai de m'intéresser à un roman. L'intrigue de l'histoire, cependant, était si mince quand je la comparais au mystère profond dans lequel nous nous débattions, et mon attention abandonnait si fréquemment la fiction pour la réalité, que je jetai bientôt le livre à travers la chambre pour me remémorer les événements de la journée. En supposant que cet infortuné jeune homme n'eût pas menti, que s'était-il donc passé d'horrible et d'extraordinaire entre le moment où il avait quitté son père et le moment où, alerté par ses cris, il était revenu dans la clairière ? Oui, ça avait dû être terrible ! Mais quoi ? La nature des blessures ne révélerait-elle rien à mes instincts de médecin ? Je sonnai et me fis apporter l'hebdomadaire local ; un résumé de l'enquête s'y trouvait. La déposition du chirurgien établissait que le tiers postérieur de l'os pariétal gauche et que la moitié gauche de l'os occipital avaient été fracassés par un coup violent porté par un instrument contondant. Je précisai l'endroit sur ma propre tête. De toute évidence le coup n'avait pu être assené que par-derrière. Jusqu'à un certain point, ce fait plaidait en faveur de l'accusé puisqu'on l'avait vu se querellant avec son père face à face. Il est vrai que ce n'était pas forcément un argument, car M. McCarthy aurait pu lui tourner le dos avant d'être frappé. Toutefois je me promis de le signaler à Holmes. Enfin il y avait cette allusion à un rat... Qu'est-ce que cela pouvait bien signifier ? Il ne pouvait être question d'une phrase prononcée dans le délire. Un homme qui vient d'être frappé d'un coup violent ne sombre pas dans le délire au moment d'expirer. Non, il ne pouvait s'agir que d'un effort pour expliquer ce qui lui était arrivé. Je fis travailler mes méninges pour trouver une explication plausible... Et que dire de cette étoffe grisâtre, vue par le jeune McCarthy ? S'il n'avait pas menti, le meurtrier avait dû laisser tomber l'un de ses vêtements, probablement son manteau, dans la bagarre ; et il avait eu la hardiesse de revenir et de l'emporter pendant que l'enfant était agenouillé près de son père et qu'il lui tournait le dos à quelque dix mètres de là. Quel enchevêtrement de mystères et d'impossibilités ! Mon opinion était tentée de se modeler sur celle de Lestrade et pourtant j'avais une telle foi dans les intuitions de Sherlock Holmes que je me refusais à perdre tout espoir que le jeune McCarthy pût être innocenté.

Il était tard quand Sherlock Holmes rentra. Il arriva seul : Lestrade logeait dans un autre quartier de la ville.

— Le baromètre n'a pas baissé, constata-t-il en s'asseyant. Il est très important qu'il ne pleuve pas avant que nous nous soyons rendus sur les lieux. Mais d'autre part, un homme mêlé à une affaire aussi délicate, doit se trouver en pleine forme pour effectuer un bon travail, et j'avoue que ces déplacements m'ont un peu abruti. J'ai vu le jeune McCarthy.

— Et qu'avez-vous tiré de lui ?

— Rien.

— Pas le plus petit éclaircissement ?

— Pas le moindre. J'ai été enclin à penser un

moment qu'il savait qui avait commis le crime, et qu'il le ou la couvrait, mais je suis convaincu maintenant qu'il l'ignore. Il n'a rien d'un adolescent à l'esprit vif, quoiqu'il ait une belle apparence et, je crois, un bon fond.

— Je me méfie de ses goûts, dis-je. Comment pouvait-il ne pas désirer épouser une jeune fille aussi charmante que Mlle Turner ?

— Ah ! il y a là une histoire douloureuse ! Ce garçon est vraiment follement amoureux d'elle. Mais quand il n'était qu'un gosse et que la jeune fille était partie depuis trois ans dans un collège, que fit-il, cet idiot ? il tomba dans les filets d'une servante de cabaret de Bristol et il l'épousa civilement ; cela se passait il y a deux ans ! Personne ne le sait, mais vous imaginez combien il enrage quand on lui reproche de ne pas faire ce pour quoi il donnerait ses deux yeux ; c'est sous un effet de cette colère qu'il leva les poings en l'air quand son père, lors de leur dernière rencontre, insista pour qu'il épouse Mlle Turner. D'un autre côté, il n'avait pas les moyens de subsister par lui-même, et son père, qui, de l'avis unanime, était un homme inflexible, l'aurait jeté à la porte s'il avait appris la vérité. C'est avec cette servante de Bristol qu'il était allé passer trois jours, et son père n'en savait rien. N'oubliez pas ce point : il est important. Le bien est néanmoins sorti du mal, car la servante apprit par les journaux qu'il avait de graves ennuis et une forte chance d'être pendu ; alors elle lui a écrit pour lui annoncer qu'elle était déjà mariée à un ouvrier de l'arsenal et que leur union n'était pas valable. Je crois que cette nouvelle a consolé le jeune McCarthy de tout ce qu'il a enduré.

— Mais s'il est innocent, quel est le meurtrier ?

— Ah ! qui ? Permettez-moi d'attirer votre attention sur deux points. Le premier est que l'homme qui a été assassiné avait un rendez-vous avec quelqu'un à la mare de Boscombe, et que ce quelqu'un ne pouvait être son fils puisque son fils était parti et qu'il ne savait pas quand il reviendrait. Le deuxième est qu'on a entendu l'homme qui a été assassiné crier : « *Cooee !* » avant d'apprendre que son fils était de retour. C'est sur ces deux points cruciaux que repose toute l'affaire. Maintenant, parlons un peu de George Meredith s'il vous plaît, et laissons jusqu'à demain les affaires sans importance.

Il ne plut pas, ainsi que Holmes l'avait prédit ; et le matin s'offrit à nous lumineux et sans nuages. A neuf heures, Lestrade vint nous chercher en voiture, et nous partîmes pour la ferme de Hatherley et la mare de Boscombe.

— Graves nouvelles ce matin ! déclara Lestrade. On dit que M. Turner est au plus mal, et qu'on désespère de le sauver.

— Il était âgé, je suppose ? demanda Holmes.

— Une soixantaine d'années. Mais sa constitution a mal supporté la vie aux colonies et depuis quelque temps sa santé déclinait. Cette affaire l'a profondément affecté. Il était un ami de longue date de M. McCarthy et, je puis ajouter, une sorte de bienfaiteur, car il lui avait donné la ferme de Hatherley sans exiger de loyer.

— Vraiment ? Voilà qui est intéressant ! dit Holmes.

— Oh ! oui. De cent autres manières il l'a aidé. Dans le pays, tout le monde parle de sa bonté pour M. McCarthy.

— Tiens, tiens ! Est-ce qu'il ne vous paraît pas un petit peu bizarre, Watson, que ce McCarthy, qui n'a apparemment pas de fortune ni de biens propres, qui a contracté tant d'obligations envers Turner, s'entête à parler de marier son fils à la fille de Turner, héritière présomptive, n'est-ce pas, du domaine ? et qu'il en parle avec une outrecuidance incroyable, comme s'il suffisait de proposer le mariage, assuré que tout le reste suivrait ? C'est d'autant plus bizarre que nous savons que Turner était hostile à ce projet : c'est du moins ce que sa fille nous a dit. Ne déduisez-vous pas quelque chose de ceci ?

— Nous voilà sur la voie des déductions et des inductions, soupira Lestrade en m'adressant un clin d'œil. Je trouve que les faits sont suffisamment compliqués, Holmes, sans qu'il soit nécessaire d'y adjoindre des théories et autres foutaises.

— Vous avez raison, fit Holmes avec une grande modestie. Vous devez trouver ces faits terriblement compliqués.

— Quoi qu'il en soit, j'ai saisi un fait que vous avez bien des difficultés à saisir vous-même, répliqua Lestrade.

— Lequel ?

— Que M. McCarthy le père a été assassiné par M. McCarthy le fils, et que toutes les suppositions qui tendent à prouver le contraire sont des balivernes.

— Mieux vaut parfois des balivernes claires qu'une vérité brumeuse, dit Holmes en riant. Est-ce que ce n'est pas la ferme de Hatherley, là, sur notre gauche ?

— Oui, la voilà.

Nous vîmes un bâtiment large, confortable, à deux étages ; le toit était d'ardoises, et de grandes plaques de mousse décoraient les murs gris. Les persiennes fermées et les cheminées sans fumée, toutefois, frappaient le regard et rappelaient toute l'horreur des événements. Nous entrâmes, et la servante, à la demande de Holmes, nous montra les chaussures que portait son maître le jour de sa mort, ainsi qu'une paire de souliers, appartenant au fils, mais ceux-ci n'étaient pas ceux qu'il avait aux pieds au moment du crime. Après les avoir mesurés avec beaucoup de précautions de sept ou huit manières. Holmes manifesta le désir d'être conduit dans la cour, d'où nous prîmes le chemin sinueux qui conduisait à la mare de Boscombe.

Quand il était sur une piste comme celle-là, Sherlock Holmes était transformé. Des gens qui ne l'auraient connu que sous les apparences paisibles du logicien et du penseur de Baker Street l'auraient difficilement reconnu. Son visage pouvait s'assombrir ou s'éclairer. Ses sourcils se résumaient à deux lignes noires, sous lesquelles brillaient deux lueurs d'acier. Il marchait tête baissée, épaules voûtées, lèvres serrées, et, sur son cou allongé, les veines saillaient comme des mèches de fouet. Ses narines semblaient se dilater sous l'effet d'une passion animale pour la chasse ; son esprit était tout entier concentré sur l'affaire qui le préoccupait, au point qu'une question ou une remarque ne soulevait en réponse qu'un grognement impatient.

D'un pas vif, et en silence, il suivit le sentier qui traversait les prés et longeait les bois jusqu'à la mare de Boscombe. Le sol était humide, marécageux, comme dans toute la région. Il y avait de nombreuses traces de pas, à la fois sur le sentier et parmi l'herbe courte qui le bordait des deux côtés. Parfois Holmes allait plus vite ; parfois aussi il s'arrêtait brusquement ; en une occasion, il fit un petit détour dans le pré. Lestrade et moi marchions derrière lui, le détective manifestant une indifférence dédaigneuse ; pour ma part, j'observais mon ami avec l'intérêt qu'entraînait ma conviction que chacun de ses actes était guidé par un mobile précis.

La mare de Boscombe est un petit lac cerné par des roseaux ; sa largeur est d'une quarantaine de mètres ; elle est située à la limite qui sépare la ferme de Hatherley du parc privé du riche M. Turner. Au-dessus des bois qui la bordent de l'autre côté, nous pouvions apercevoir les pinacles rouges de la maison où habitait le propriétaire du domaine. Sur le côté de Hatherley, les bois étaient très épais ; entre leur bordure et la ceinture de roseaux, il y avait une vingtaine de pas et le sol était recouvert de gazon. Lestrade nous montra l'endroit exact où le corps avait été découvert ; en vérité, l'herbe était si détrempée que les traces de la chute de l'homme frappé par-derrière étaient encore visibles. A en juger par son visage tendu et ses yeux inquisiteurs, Holmes devait lire bien d'autres choses sur le sol. Il courut en rond, comme un chien qui renifle une piste, puis se tourna vers mon compagnon.

— Pourquoi êtes-vous allé dans la mare ? demanda-t-il.

— J'ai pêché dedans avec un crochet. Je pensais qu'il pouvait avoir une arme ou autre chose... Mais comment diable...

— Oh ! tut, tut ! Je n'ai pas le temps. Votre pied gauche qui se tord vers l'intérieur se retrouve partout. Une taupe pourrait vous suivre ; là, votre trace disparaît parmi les roseaux. Ah ! comme tout aurait été simple si j'étais venu ici avant que tous ces gens eussent piétiné comme un troupeau de buffles ! Mais voici trois empreintes distinctes du même pied.

Il sortit sa loupe, s'allongea sur son imperméable pour mieux voir, et monologua davantage pour lui-même que pour nous :

— Ce sont les pas du jeune McCarthy. Deux fois il a marché, et une fois il a couru rapidement car ses semelles ont laissé une trace profonde, alors que les talons sont à peine visibles. Voici qui confirme son récit. Il a couru quand il a vu son père par terre. Maintenant, par là, ce sont les pas du père lorsqu'il allait et venait. Et ça ? la crosse du fusil que tenait le garçon pendant qu'il écoutait les discours du père. Mais cela ? Ah ! ah ! Qu'est-ce que nous avons ici ? des pointes de pieds, des pointes de pieds ! Des chaussures carrées, aussi, tout à fait inhabituelles ! Elles vont par ici, elles repartent, elles reviennent... naturellement : pour le manteau. Maintenant d'où venaient-elles ?

Il courut dans un sens, puis dans un autre, parfois trouvant la piste, parfois la perdant ; il nous mena jusqu'à l'intérieur du bois et sous l'ombre d'un grand hêtre, le plus grand des alentours. Holmes poursuivit son inspection du sol et s'aplatit encore une fois en poussant un petit cri de satisfaction. Pendant un long moment il demeura à fureter, retournant les feuilles et les branchages secs, ramassant ce qui me parut être de la poussière et la plaçant dans une enveloppe. Avec sa loupe, il examina non seulement le sol mais aussi le tronc de l'arbre aussi haut qu'il le put. Une pierre aux arêtes vives gisait sur la mousse ; il l'inspecta également de près et l'emporta. Puis il suivit un sentier à travers bois, et nous arrivâmes sur la grand-route, où toutes les empreintes avaient disparu.

— Il s'agit d'une affaire peu banale ! dit-il en reprenant une physionomie normale. J'imagine que cette maison grise, sur la droite, doit être celle du gardien. Je vais y faire un tour pour bavarder un peu avec Moran, et peut-être écrire une petite lettre. Une fois cela fait, nous pourrons rentrer déjeuner. Marchez tranquillement vers la voiture ; je vous rejoins dans quelques minutes.

Quand nous démarrâmes vers Ross, Holmes portait toujours la pierre qu'il avait ramassée dans le bois.

— Elle peut présenter pour vous un certain intérêt, dit-il en la montrant à Lestrade. C'est en effet l'arme du crime.

— Je ne relève sur elle aucune trace…

— Il n'y en a pas.

— Comment le savez-vous, alors ?

— L'herbe, dessous, était haute. La pierre n'avait donc été mise là que depuis quelques jours. Je ne suis pas parvenu à découvrir l'endroit d'où elle a été prise. Ses arêtes correspondent bien aux blessures reçues par M. McCarthy. Il n'y a pas trace d'une autre arme.

— Et le meurtrier ?

— C'est un homme de grande taille, gaucher, qui boite de la jambe droite. Il porte des chaussures de chasse et un grand manteau, fume des cigares indiens avec un fume-cigare et promène dans sa poche un canif émoussé. Je pourrais vous donner encore d'autres indications, mais je vous en ai dit assez pour notre enquête.

Lestrade éclata de rire :

— Je crains que vous ne soyez pas venu à

bout de mon scepticisme, dit-il. Bravo pour les théories ! Mais nous aurons affaire à un jury anglais difficile à convaincre avec cela.

— Nous verrons ! répondit Holmes avec calme. Travaillez avec votre méthode, et moi je travaillerai avec la mienne. Cet après-midi, je serai très occupé, et je rentrerai probablement à Londres par le train du soir.

— Sans avoir terminé l'affaire ?

— Pardon, elle sera terminée.

— Mais le mystère ?

— Il est éclairci.

— Qui est l'assassin ?

— Le gentleman que je vous ai décrit.

— Son nom ?

— Il ne sera certainement pas difficile à identifier : le pays ne compte pas tellement d'habitants !

Lestrade haussa les épaules.

— Je suis un homme pratique, dit-il. Je ne me vois pas errant dans tout le pays à la recherche d'un gaucher claudicant. Je serais la risée de Scotland Yard !

— Parfait, dit Holmes paisiblement. Je vous ai donné votre chance. Mais voici votre appartement. Bonsoir. Je vous mettrai un mot avant de partir.

Nous rentrâmes à l'hôtel, où le déjeuner nous attendait. Holmes mangea en silence ; il était enfermé dans ses pensées. Sur ses traits, je notai une expression de tristesse : celle qu'aurait pu avoir un homme qui se trouve dans une situation embarrassante.

— Voyons, Watson ! dit-il enfin, lorsque la table fut desservie. Asseyez-vous dans ce fauteuil et écoutez-moi. Je ne sais pas tout à fait comment procéder, et je voudrais connaître votre avis. Allumez un cigare ; je vais vous exposer les faits.

— Je vous en prie !

— Voilà : en considérant l'affaire, deux points du récit du jeune McCarthy nous sautèrent aux yeux ; mais ils ne nous impressionnèrent pas de la même façon : vous, ce fut défavorablement pour l'accusé ; moi, favorablement. L'un était que le père aurait poussé le cri : « *Cooee !* » avant d'avoir vu son fils. L'autre se rapportait à l'allusion faite par le mourant à un rat. Il a marmonné quelques mots, n'est-ce pas, mais ce rat est la seule chose qui soit tombée dans l'oreille du fils. C'est sur cette double base que notre enquête doit débuter, et nous la commencerons en présumant que le récit du garçon est absolument vrai.

— Alors, comment expliquer ce « *Cooee!* » ?

— Ce cri, évidemment, n'a pas été poussé pour que le fils l'entende, puisque le père croyait que son fils se trouvait encore à la ville. C'est le hasard seul qui a fait que le fils l'ait entendu. Le « *Cooee!* »était destiné à attirer l'attention de la personne avec qui il avait rendez-vous. Mais « *Cooee!* » est un cri spécifiquement australien, que n'utilisent entre eux que les Australiens. Il y a donc de fortes présomptions pour que la personne que M. McCarthy s'attendait à rencontrer près de la mare de Boscombe fût quelqu'un qui était allé en Australie.

Sherlock Holmes tira de sa poche une feuille de papier pliée et l'étala sur la table.

— Voici une carte de la colonie de Victoria, dit-il. J'ai télégraphié hier soir à Bristol pour l'avoir ce matin.

Il posa son doigt sur la partie supérieure de la carte, et me demanda :

— Qu'est-ce que vous lisez là ?

— *Arat.*

— Et maintenant ? dit-il en levant son doigt.

— *Ballarat.*

— Bon. C'est le mot que l'homme a murmuré, et son fils n'en a entendu que les deux dernières syllabes. Il était en train de nommer son assassin : un tel de Ballarat.

— Merveilleux ! m'exclamai-je.

— Evident, plutôt ! Maintenant, voyez-vous, le champ se rétrécit singulièrement. La possession d'un vêtement gris est un troisième point qui, si l'on croit toujours à la véracité du récit du jeune homme, s'apparente à une certitude. Nous voilà sortis des terrains vagues pour nous trouver sur un terrain solide : la notion précise d'un Australien de Ballarat, vêtu de gris.

— Certainement.

— Cet homme était chez lui dans le district, car on ne peut approcher de la mare de Boscombe qu'en passant par la ferme ou par le domaine, où des étrangers ne s'aventureraient guère.

— Exact.

— Là-dessus nous partons pour notre expédition de ce matin. Après examen du terrain, j'ai réuni les menus détails que j'ai communiqués à cet imbécile de Lestrade et qui concernent la personnalité du criminel.

— Mais comment les avez-vous trouvés ?

— Vous connaissez ma méthode : elle est fondée sur l'observation des riens.

— Sa taille, je sais que vous pouvez l'évaluer à peu près d'après la longueur des pas. De même que les chaussures, d'après les empreintes.

— Oui, c'étaient des chaussures spéciales.

— Mais sa claudication ?

— L'empreinte du pied droit était toujours moins distincte que l'empreinte du gauche : il pesait donc moins sur son pied droit. Pourquoi ? parce qu'il boitait.

— Vous avez dit qu'il était gaucher ?

— Vous-même avez été frappé par la nature de la blessure telle qu'elle a été décrite par le chirurgien. Le coup a été porté de très près par-derrière, et venait de la gauche. Pourquoi de la gauche, sinon parce que celui qui l'a assené était gaucher ? Il s'était tenu derrière l'arbre pendant la discussion entre le père et le fils ; il a même fumé à cet endroit ; j'ai trouvé la cendre d'un cigare, et ma science personnelle des cendres de tabac m'a appris qu'elle provenait d'un cigare indien. Vous savez que je me suis intéressé à cette question et que j'ai écrit une petite monographie sur les cendres de cent quarante variétés de cigares, cigarettes et tabac à pipe. Ayant trouvé la cendre, j'ai inspecté les alentours et découvert le mégot qu'il avait enterré sous la mousse. Il s'agissait d'un cigare indien, de l'espèce de ceux qui sont roulés à Rotterdam.

— Et le fume-cigare ?

— J'ai pu voir que le bout n'avait pas été dans sa bouche. Donc, il fume avec un fume-cigare. La pointe avait été coupée et non arrachée avec les dents, mais la coupure n'avait pas été franche : d'où j'ai déduit que la lame du canif était émoussée.

— Holmes, dis-je, vous avez tissé autour de cet homme un filet d'où il ne peut pas échapper ! Et vous avez sauvé une vie humaine innocente, aussi sûrement que si vous aviez coupé la corde qu'il a déjà au cou. Je vois la direction où nous mène tout ceci. Le coupable est...

— M. John Turner ! cria le garçon d'hôtel en ouvrant la porte de notre salon pour introduire un visiteur.

L'homme qui entra avait une allure étrange, impressionnante. Sa démarche mal assurée, claudicante, et ses épaules voûtées annonçaient la décrépitude physique. Pourtant ses traits durs, creusés, burinés même, et ses membres immenses indiquaient une force inhabituelle dans le corps et le caractère. Une barbe en broussaille, des cheveux grisonnants, des sourcils proéminents et retombant sur l'œil ajoutaient à l'impression générale de dignité et de puissance. Mais il avait le teint blanc ; et ses lèvres, ainsi que les coins de ses narines étaient cerclés d'une ombre bleue. Il était clair que cet homme était la proie d'une très grave maladie chronique.

— Veuillez vous asseoir sur le canapé, dit Holmes avec douceur. Vous avez reçu ma lettre ?

— Oui. Le gardien me l'a apportée. Vous me disiez que vous préfériez me voir ici pour éviter un scandale ?

— Je pensais que les gens bavarderaient si je me rendais chez vous.

— Et pourquoi désirez-vous me voir ?

Il regarda mon compagnon bien en face ; mais le désespoir était déjà dans ses yeux, comme si la réponse lui avait été faite.

— Oui, dit Holmes qui répondit davantage au regard qu'aux mots. C'est ainsi. Je sais tout sur l'affaire McCarthy.

Le vieil homme cacha son visage entre ses mains.

— Oh ! que Dieu m'aide ! s'écria-t-il. Mais je n'aurais pas laissé faire du mal au jeune homme. Je vous jure que j'aurais parlé si les choses avaient mal tourné pour lui aux assises !

— Je suis heureux de vous l'entendre dire ! murmura Holmes.

— J'aurais parlé déjà s'il n'y avait pas eu ma

chère enfant. Cela lui aurait brisé le cœur... Elle aura le cœur brisé quand elle apprendra que je suis arrêté.

— Il se peut que vous n'en arriviez pas là, dit Holmes.

— Comment !

— Je ne suis pas un policier officiel. C'est votre fille qui a requis ma présence ici et je sers ses intérêts. Cependant le jeune McCarthy doit être mis hors de cause.

— Je suis un homme qui se meurt, prononça le vieux Turner. Depuis des années j'ai du diabète. Mon docteur ne sait pas si je dépasserai le mois en cours. J'aimerais mieux mourir tout de même sous mon toit que dans une geôle !

Holmes se leva ; il alla s'asseoir devant la table, prit une plume et du papier.

— Dites-nous simplement la vérité, dit-il. Je relaterai les faits. Vous signerez. Watson, ici présent, servira de témoin. Ainsi je pourrai utiliser vos aveux à la dernière extrémité pour sauver le jeune McCarthy. Je vous promets de ne m'en servir qu'en cas de besoin absolu.

— Soit ! dit le vieil homme. La question se résume à ceci : vivrai-je jusqu'aux assises ? A moi il importe peu, mais je voudrais épargner à Alice le choc... Maintenant je vais tout vous dire : l'action a subi de longues évolutions ; mais je serai bref.

» Vous ne connaissiez pas le défunt, McCarthy. C'était le diable incarné. Croyez-moi ! Que Dieu vous garde de tomber dans les filets d'un homme pareil ! Pendant vingt années il m'a fait chanter, et il a ruiné ma vie. D'abord, il faut que je vous raconte comment je suis tombé sous son pouvoir.

» Ceci se passait vers 1860 dans les mines. J'étais encore gamin à l'époque : j'avais le sang chaud et l'esprit insouciant ; je prêtais la main à n'importe quoi. Je mûris parmi de mauvais camarades, je pris l'habitude de boire, mes droits ne furent pas reconnus, et je me réfugiai dans le maquis ; je devins ce que vous appelleriez par ici un voleur de grand chemin. Nous étions une demi-douzaine et nous menions une existence de sauvages libres. Tantôt nous nous livrions à des hold-up dans les gares ; tantôt nous arrêtions les wagons qui desservaient les mines. J'avais pris le surnom de Jack le Noir de Ballarat ; dans la colonie, on se souvient encore du gang de Ballarat.

» Un jour, un convoi d'or fit route de Ballarat à Melbourne. Nous le guettâmes et nous l'attaquâmes. Il y avait six hommes de troupe contre nous six. Ce fut une rude bataille ; nous en fîmes tomber quatre de leurs selles à la première rafale. Trois de nos garçons, cependant, furent tués avant que nous raflions le butin. Je tins sous mon revolver la tête du chef de convoi, qui n'était autre que McCarthy. Mon Dieu, que j'aurais dû le faire mourir ce jour-là ! Mais je l'épargnai, bien que j'aie vu ses petits yeux rusés fixés sur mon visage comme s'il voulait graver tous mes traits dans sa mémoire. Nous partîmes ; l'or était à nous ; nous étions devenus des hommes riches ; nous regagnâmes l'Angleterre sans être soupçonnés. Là, je me séparai de mes vieux copains, et je pris la décision de changer de vie : j'avais besoin d'une existence paisible et respectable. J'achetai ce domaine, qui se trouvait à vendre, et je m'établis pour faire un peu de bien avec mon argent, afin de compenser ainsi la manière dont je l'avais acquis. Je me suis marié ; ma femme est morte très jeune, mais elle m'a laissé ma chère petite Alice. Même lorsqu'elle n'était qu'un tout petit enfant, sa menotte me maintenait sur la bonne voie avec une fermeté qui m'était douce. En un mot, j'avais tourné la page et je faisais de mon mieux pour réparer le passé. Tout allait bien : hélas, McCarthy survint !

» J'étais allé à la ville pour un placement ; voilà que je le rencontre dans Regent Street : à peine avait-il une veste sur le dos et une chaussure à chaque pied.

» — Me voici, Jack ! me dit-il en me touchant le bras. Et je ne suis pas seul : j'ai un fils. Nous vous serons une famille, et vous pourrez vous occuper de nous. Si vous nous négligez, l'Angleterre est un pays civilisé, où l'on trouve toujours un policeman à portée de voix.

» Bien. Ils vinrent s'établir dans l'Ouest ; pas moyen de les empêcher, n'est-ce pas ? Ils ont vécu sur ma meilleure terre ; je la leur avais concédée sans leur demander de loyer. Mais pour moi, plus de paix, plus de repos, plus d'oubli ! Où que j'aille, je me heurtais à ce visage ricanant et rusé. Quand Alice grandit, les choses allèrent de mal en pis, car il se doutait bien que j'avais davantage peur d'elle que de la police. Quoi qu'il demandât, il me fallait lui donner ; je lui ai donné des terres, de l'argent, des maisons ; seulement, il m'a demandé la seule chose que je ne voulais pas lui donner : il m'a demandé Alice.

» Son fils avait grandi : et ma fille aussi. Ma mauvaise santé était notoire. C'eût été pour lui un coup de maître si le jeune homme avait pu épouser l'héritière du domaine. Mais là je me suis fâché : je ne voulais pas que ce sang maudit se mélangeât avec le mien. Non que j'éprouve de l'aversion pour le fils, mais le sang de McCarthy coulait dans ses veines : c'était assez ! Je n'ai donc pas cédé. McCarthy m'a menacé. Je l'ai défié de mettre ses menaces à exécution. Nous devions nous rencontrer près de la mare, à mi-chemin entre nos habitations, pour parler.

» Quand je descendis vers la mare, je le trouvai en conversation avec son fils. Aussi je fumai un cigare et j'attendis derrière un arbre qu'il fût seul. Mais entendant le thème de leur discussion, mon amertume et mes soucis étouffèrent tout autre sentiment. Il pressait son fils d'épouser ma fille, sans se préoccuper le moins du monde de ce qu'elle-même pouvait penser ; il ne la traitait pas mieux qu'une fille des rues. Je devins enragé à l'idée que moi et ce que je possédais de plus cher au monde pourrions tomber sous le pouvoir d'un tel homme. Ne serais-je donc pas capable de rompre cette chaîne ? Déjà je me savais au bord de la tombe. Quoique mon esprit fût demeuré clair et mes muscles solides, je n'ignorais pas que mon destin était scellé. Mais le souvenir que je laisserais ! Mais ma fille ! Tout pouvait être sauvé si je réduisais au silence cette langue folle. Alors je l'ai fait, monsieur Holmes. Et si c'était à refaire, je n'hésiterais pas davantage.

J'ai grandement péché jadis, mais j'avais expié mon péché par une vie de martyr. Bon. Par contre je ne pouvais pas supporter que ma fille soit prise dans le même engrenage. J'ai abattu McCarthy sans plus de remords que s'il avait été une bête sauvage ou venimeuse. Son cri alerta son fils. Mais j'avais déjà regagné la couverture du bois. Pourtant je dus revenir sur mes pas pour rattraper le manteau que j'avais laissé échapper. Voilà l'histoire véridique, messieurs, de ce qui est advenu...

— Ce n'est pas à moi de vous juger ! dit Holmes pendant que le vieil homme signait sa déclaration. Je demande au Ciel que nous ne soyons jamais exposés à une pareille tentation.

— Je le demande aussi, monsieur. Qu'avez-vous l'intention de faire ?

— Etant donné votre état de santé, rien. Vous savez vous-même que vous aurez à répondre de vos actes devant un tribunal plus élevé que celui des assises. Je garde par-devers moi vos aveux ; si le jeune McCarthy est condamné, je les publierai. Sinon, aucun œil mortel ne les lira. Et votre secret, que vous soyez vivant ou mort, ne sera pas trahi par nous.

— Alors adieu ! murmura solennellement le vieil homme. Vos lits de mort, quand votre heure sera venue, vous seront plus doux grâce à la paix que vous avez disposée sur le mien.

Chancelant et titubant dans tout son corps de géant, il boitilla lentement vers la porte.

— Que Dieu nous aide ! soupira Holmes après un long silence. Pourquoi le Destin joue-t-il de tels tours à de pauvres vers de terre ? Je ne pourrai jamais évoquer cette affaire sans penser au mot de Baxter, et dire : « Là, par la grâce de Dieu, alla Sherlock Holmes. »

James McCarthy fut acquitté aux assises. Son avocat en effet, dûment informé par Holmes, avait mis en évidence quelques-unes des graves lacunes de l'accusation, et soulevé de fortes objections. Le vieux Turner vécut encore sept mois après notre conversation, mais à présent il repose au cimetière. Et toutes les chances semblent réunies pour que le garçon et la jeune fille soient heureux ensemble, et ignorent à jamais le nuage sombre qui pesa sur leur passé.

LES CINQ PÉPINS D'ORANGE

Quand je feuillette mes notes des années 1882 à 1890, je constate que Sherlock Holmes a été mêlé à beaucoup d'affaires. Et j'en trouve tellement de captivantes que, avant de fixer mon choix, j'hésite ! Le public en connaît déjà certaines par la presse. D'autres n'ont pas permis à mon ami de déployer toute la gamme de ses prodigieuses qualités : or, l'objet de ce livre est justement de les montrer en action. Par ailleurs, il y en eut quelques-unes qui résistèrent victorieusement à l'habileté de ses analyses, si bien que leur récit ressemblerait à des histoires dont le début serait connu et non la fin. Enfin, plusieurs n'ont été élucidées qu'en partie, et l'explication offerte pour conclure a davantage été basée sur des conjectures que sur l'une de ces preuves logiques absolues dont il était si friand.

En voici un excellent exemple. Répétons que cette affaire n'a jamais été éclaircie totalement ; mais elle est bourrée de détails si extraordinaires, et elle a pris une ampleur si imprévue, que je me laisse tenter à la raconter.

L'année 1887 nous gratifia de cas d'un intérêt variable. Je cite au hasard le cabinet Paradol, la société des mendiants amateurs (qui possédait un club luxueux dans la cave d'un garde-meuble), la perte de la barque anglaise *Sophie-Anderson,* les singulières aventures des Grice Patersons dans l'île d'Uffa, l'affaire des poisons de Camberwell. Au cours de celle-ci, Sherlock put prouver, en remontant la montre de l'homme mort, qu'elle avait été remontée deux heures plus tôt, et que par conséquent la victime s'était couchée à ce moment, déduction qui s'avéra de la plus grande importance pour la solution du problème. J'en parlerai quelque jour, mais leurs caractéristiques me paraissent pâles à côté de l'étrange enchaînement que je voudrais décrire aujourd'hui.

A la fin du mois de septembre, les tempêtes d'équinoxe faisaient rage ; leur violence était exceptionnelle. Toute la journée le vent avait hurlé et la pluie avait battu les fenêtres. Même en plein cœur de Londres, nous étions contraints de hisser nos pensées au-dessus de la routine quotidienne, et de nous soumettre à la présence de ces grandes forces élémentaires qui s'attaquent à l'homme à travers les barreaux de sa civilisation. Au fur et à mesure que la nuit approchait, la tempête grandissait : le vent sanglotait dans la cheminée comme un enfant en pénitence. Maussade, Sherlock Holmes était assis à côté du feu et mettait à jour ses notes, tandis que je me délectais dans les belles histoires d'aventures en mer de Clark Russell :

le grondement de la tempête à l'extérieur s'harmonisait parfaitement avec le texte, et les rafales de pluie se mêlaient au clapotis des vagues. Ma femme était allée passer quelques jours chez sa tante ; pendant son absence, j'avais repris mes anciens quartiers à Baker Street.

— Quoi ! dis-je en levant mes yeux vers mon compagnon. La sonnette ? Qui peut venir par cette soirée ? Un ami à vous, peut-être ?

— En dehors de vous, je n'ai pas d'ami, répondit-il. Et je n'encourage pas les curieux !

— Un client, alors ?

— Si c'est un client, son affaire est grave. Par un tel jour, et à une telle heure, seule une chose grave peut obliger un homme à sortir de chez lui... Plus vraisemblablement, il s'agit d'une commère qui vient bavarder avec la logeuse.

Sherlock Holmes se trompait. Des pas résonnèrent dans le couloir et on frappa à la porte. Il étendit son bras interminable pour détourner la lampe ; il ne se souciait plus qu'elle l'éclairât, mais il avait fort besoin qu'elle sortît de l'ombre la chaise libre sur laquelle s'assiérait le nouveau venu.

— Entrez !

L'homme qui pénétra ainsi chez Sherlock Holmes était jeune : vingt ou vingt-deux ans au plus. Il était habillé proprement, et même avec recherche. Son allure indiquait du raffinement et de la délicatesse de mœurs. Le parapluie ruisselant qu'il tenait à la main et son imperméable luisant en disaient long sur la violence des intempéries qu'il avait dû affronter. Sous la lumière de la lampe, il regarda autour de lui ;

son anxiété était visible : il était pâle, il avait les yeux lourds d'un homme sur qui l'angoisse vient de s'abattre.

— Je vous dois des excuses ! dit-il en portant un lorgnon d'or à ses yeux. J'espère que je ne suis pas importun. De toute façon, je crains d'avoir apporté quelques traces de la tempête dans cette chambre confortable.

— Donnez-moi votre manteau et votre parapluie, dit Holmes. Je vais les suspendre au portemanteau, et ils seront bientôt secs. Vous venez du Sud-Ouest, n'est-ce pas ?

— Oui, de Horsham.

— Ce mélange de glaise et de chaux que je vois sur vos chaussures est tout à fait reconnaissable.

— Je suis venu pour un conseil.

— Facile !

— Et pour être aidé.

— Pas toujours aussi facile !

— J'ai entendu parler de vous, monsieur Holmes. Le major Prendergast m'a conté comment vous l'aviez sauvé dans le scandale du Club de Tankerville.

— Ah ! oui ? Il avait été accusé à tort de tricher aux cartes.

— Il m'a assuré que vous étiez capable de résoudre n'importe quel problème.

— Il a exagéré.

— Que vous n'avez jamais été vaincu.

— J'ai été battu quatre fois : trois fois par des hommes, une fois par une femme.

— Ce n'est rien en comparaison du nombre de vos réussites.

— Il est vrai que généralement je réussis.

— Alors vous pouvez réussir avec moi, peut-être ?

— Rapprochez donc votre chaise du feu, je vous prie... Maintenant, ayez l'obligeance de m'expliquer votre affaire.

— Elle n'est pas banale.

— Quand on me soumet une affaire, c'est qu'elle n'est pas banale. Je représente en quelque sorte le secours suprême.

— Et pourtant, monsieur, je me demande si, au cours de toutes vos expériences, vous avez vu une succession d'événements plus mystérieux et inexplicables que ceux qui sont survenus dans ma famille !

— Vous aiguisez ma curiosité, dit Holmes. Voudriez-vous me narrer les faits essentiels depuis le commencement ? Ensuite je pourrai vous poser quelques questions sur des détails qui me sembleraient importants.

Le jeune homme poussa sa chaise près du feu et posa ses pieds mouillés sur les chenets.

— Je m'appelle, dit-il, John Openshaw. Mais personnellement je n'ai pas grand-chose à voir, me semble-t-il, dans les circonstances dramatiques que je vais vous conter.

» Mon grand-père avait deux fils : mon oncle Elias et mon père Joseph. Mon père possédait une petite usine à Coventry ; il la développa lorsque la bicyclette prit l'essor que vous connaissez. Il déposa le brevet du pneu increvable Openshaw, et son affaire prospéra tant et si bien qu'il la vendit et se retira avec une jolie fortune.

» Mon oncle Elias émigra en Amérique lors-

qu'il n'était que jeune homme ; il devint planteur en Floride, où il réussit très bien. Pendant la guerre de Sécession, il combattit dans l'armée de Jackson, puis sous Hood ; il conquit le grade de colonel. Quand Lee capitula, mon oncle retourna à sa plantation, où il demeura trois ou quatre années. Vers 1869 ou 1870, il revint en Europe et il acheta un petit domaine dans le Sussex, près de Horsham. Aux Etats-Unis, il avait amassé une fortune considérable ; il n'avait quitté l'Amérique qu'en raison de sa répugnance pour les Noirs et de son désaccord avec la politique qui tendait à leur accorder le droit de vote. C'était un homme singulier : ardent, irascible, grossier quand la colère l'empoignait ; farouche et réservé à la fois. Pendant les nombreuses années qu'il passa à Horsham, je ne crois pas qu'il ait jamais mis les pieds en ville. Autour de sa maison, il avait un jardin, avec deux ou trois champs ; quand il désirait prendre de l'exercice, c'était là qu'il marchait à grandes enjambées ; mais il lui arrivait souvent de ne pas quitter sa chambre de plusieurs semaines. Il buvait du cognac en fortes rasades, fumait beaucoup, mais ne voyait personne : il n'avait pas besoin d'amis et son propre frère ne lui manquait pas.

» Il ne s'était jamais occupé de moi, quand brusquement une fantaisie l'y décida : je l'avais vu pour la première fois en 1878, j'avais douze ans à peu près, et lui était en Angleterre depuis huit ou neuf années. Il demanda à mon père de me laisser vivre avec lui, et il se montra très gentil à sa manière. Quand il était à jeun, il aimait que nous jouions ensemble aux dames ou au jacquet ; il me déléguait pour le représenter auprès des domestiques ou des commerçants. A seize ans, j'étais devenu le maître de la maison. C'était moi qui détenais toutes les clés, je faisais ce que je voulais, j'allais où je voulais ; une seule condition : que je ne le dérange pas dans son privé. Il y avait cependant une exception : une chambre, une sorte de cabinet de débarras sous les toits, qui était constamment verrouillée, et l'entrée en était condamnée à moi comme à quiconque. Avec la curiosité d'un gamin, j'avais collé mon œil contre le trou de la serrure, mais je n'avais vu qu'une collection de vieilles malles et de caisses : tout à fait le décor qui convenait à une chambre comme celle-là.

» Un jour, c'était en mars 1883, une lettre cachetée et affranchie avec un timbre étranger fut déposée sur la table devant l'assiette du colonel. Il ne recevait guère de lettres, car il payait toujours argent comptant et n'avait point d'amis.

» — Une lettre des Indes ! dit-il en s'en emparant. Avec le cachet de Pondicherry ! Que diable me veut-on là-bas ?

» Il l'ouvrit en hâte ; et de l'enveloppe sautèrent cinq petits pépins d'orange séchés qui s'éparpillèrent sur son assiette. Je me mis à rire, mais mon rire se figea devant le bouleversement de sa physionomie : bouche ouverte, yeux écarquillés, teint couleur de chaux, il contemplait l'enveloppe qu'il tenait encore dans sa main tremblante.

» — KKK, cria-t-il. Dieu, mon Dieu, mes péchés m'ont rattrapé !

» — Qu'est-ce que c'est, mon oncle ? demandai-je.

» — La mort ! répondit-il.

» Il se leva de table et se retira dans sa chambre ; je palpitais d'horreur. Je me saisis néanmoins de l'enveloppe, et je lus, griffonné à l'encre rouge sur l'intérieur de la patte, juste au-dessus de la colle, la lettre K répétée trois fois. Il n'y avait rien d'autre, sauf les cinq pépins séchés. Pourquoi donc une pareille terreur ? Je quittai la table et je montai l'escalier, mais je le rencontrai qui descendait ; dans une main il avait une vieille clé rouillée qui devait être celle du cabinet de débarras, et dans l'autre une petite boîte de cuivre, une sorte de caissette.

» — Ils peuvent tenter ce qu'ils veulent, mais je les ferai quand même échec et mat ! clama-t-il en poussant un juron. Dis à Mary que je veux du feu aujourd'hui dans ma chambre, et envoie chercher Fordham, l'homme de loi de Horsham.

» J'exécutai ses ordres. Quand arriva l'homme de loi, je fus prié de monter dans sa chambre. Le feu était allumé ; dans la grille il y avait un tas de cendres noirâtres et légères, comme des cendres de papier consumé ; à côté, la caissette était ouverte et vide, mais je ne pus réprimer un sursaut quand je vis sur le couvercle la lettre K répétée trois fois.

» — Je t'ai appelé, John, me dit mon oncle, pour que tu sois le témoin de mon testament. Je lègue mes biens, avec tout ce qu'ils comportent de bon et de moins bon, à mon frère, ton père, dont inévitablement tu hériteras. Si tu peux en

profiter, bravo ! Mais si tu t'aperçois que tu ne peux pas en jouir en paix, alors, mon enfant, suis mon conseil ; cède-le à ton pire ennemi. Je suis désolé de t'offrir un cadeau à double tranchant, mais j'ignore comment tourneront les choses. Veux-tu signer ce papier à l'endroit que t'indique M. Fordham ?

» J'apposai ma signature comme on me l'indiqua, et l'homme de loi emporta le document. Comme vous pouvez le supposer, cet incident bizarre m'avait fortement impressionné : je tournais et retournais ses phrases dans ma tête, mais j'étais bien incapable d'en déduire quoi que ce fût ! Je ne parvenais pas à me délivrer d'un vague sentiment d'épouvante qui allait cependant s'affaiblissant, certes, au fur et à mesure que passaient les semaines et que rien ne survenait pour modifier la routine de notre existence. Tout de même je notai un changement chez mon oncle ; il buvait plus que jamais et il éprouvait de moins en moins de goût pour la société. Il passait la plupart du temps dans sa chambre, dont il verrouillait soigneusement la porte derrière lui. Mais parfois il surgissait en proie à un véritable délire d'ivrogne, il fonçait hors de la maison, arpentait le jardin avec un revolver à la main, hurlant qu'il n'avait peur de personne et qu'il ne se laisserait pas enfermer, fût-ce par le diable, comme une poule dans une cage. Quand sa frénésie était tombée, il se précipitait vers la porte, la fermait et la barricadait comme un homme qui ne pouvait plus crâner devant une terreur qui le possédait jusqu'aux racines de son âme. Dans de tels moments, j'ai vu son visage trempé de sueur comme s'il l'avait plongé dans une cuvette.

» Hé bien ! pour en finir, monsieur Holmes, et pour ne pas abuser de votre patience, une nuit vint où il se livra à l'une de ces explosions d'ivrogne, mais il y laissa la vie. Quand nous partîmes à sa recherche, nous ne tardâmes pas à le découvrir tête la première dans un petit étang à l'eau verte, au bas du jardin. On ne décela sur son corps aucune trace de violences, et l'eau n'avait pas plus de soixante centimètres de profondeur : aussi le jury, étant donné l'excentricité bien connue de mon oncle, prononça un verdict de suicide. Mais moi, qui n'ignorais pas comme il grinçait des dents à la seule pensée de mourir un jour, j'avais bien du mal à me persuader qu'il avait cherché volontairement la mort. L'affaire passa, cependant, et mon père entra en possession du domaine, et de quelque quatorze mille livres sterling qu'il déposa à son compte en banque.

— Un instant, intervint Holmes. Votre déclaration est, je crois, l'une des plus remarquables que j'aie jamais entendues. A quelle date votre oncle reçut-il la lettre, et à quelle date se... suicida-t-il ?

— La lettre arriva le 10 mars 1883. Il mourut sept semaines plus tard, au cours de la nuit du 2 mai.

— Merci. Je vous en prie, poursuivez.

— Quand mon père prit possession de la propriété de Horsham, il procéda à ma requête, à un examen minutieux du cabinet mansardé qui était resté fermé à clé. Nous y trouvâmes la caissette de cuivre, bien que son contenu eût été détruit. A l'intérieur il y avait une étiquette de papier, et les initiales KKK y étaient reproduites, ainsi que les mots *Lettres, carnets, reçus, registres* écrits au-dessous et qui indiquaient sans doute la nature des papiers détruits par le colonel Openshaw. Le reste de ce qui se trouvait dans le cabinet ne présentait aucun intérêt, à l'exception de calepins et de journaux en vrac ayant trait à la vie de mon oncle en Amérique. Quelques-uns dataient de la guerre et témoignaient qu'il avait fait tout son devoir, qu'il était réputé comme un brave. D'autres se rapportaient à l'époque de la reconstruction des Etats du Sud, et ils traitaient presque tous de politique, puisqu'il avait pris une part fort active dans l'opposition aux candidats originaires du Nord.

» Au début de 1884, mon père vint s'établir à Horsham, et tout alla pour le mieux jusqu'au mois de janvier 1885. Le quatrième jour de l'année, j'entendis mon père pousser un cri de

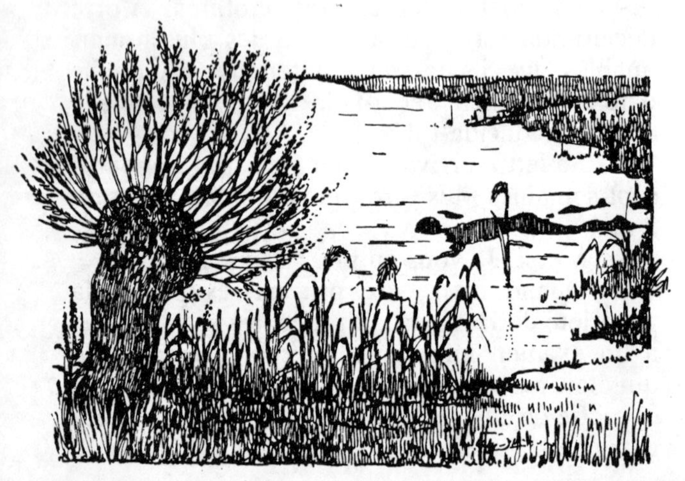

surprise pendant que nous prenions place à table. Je le vois encore, assis, tenant dans une main une enveloppe qu'il venait d'ouvrir et, posés sur la paume de son autre main, cinq pépins d'orange séchés. Il avait toujours ri de ce qu'il appelait une invention de ma part, mais il devint très sérieux et embarrassé par ce qui lui arrivait à lui.

» — Voyons, qu'est-ce que diable cela signifie, John ?

» Mon cœur s'était arrêté de battre pendant quelques secondes.

» — C'est KKK, dis-je.

» Il regarda l'intérieur de l'enveloppe et s'écria :

» — C'est vrai ! Ce sont les mêmes lettres... Mais qu'y a-t-il d'écrit au-dessus ?

» — *Mettez les papiers sur le cadran solaire,* lus-je, penché sur son épaule.

» — Mais quels papiers ? quel cadran solaire ? demanda-t-il.

» — Le cadran solaire qui est dans le jardin : il n'y en a pas d'autre ! répondis-je. Quant aux papiers, il doit s'agir de ceux qui ont été détruits.

» — Peuh ! dit-il, prenant son courage à deux mains. Nous sommes ici dans un pays civilisé, et nous ne nous laisserons pas influencer par une bouffonnerie de cette espèce. D'où vient la lettre ?

» — De Dundee.

» — Quelque farce absurde ! dit-il. Qu'ai-je à voir avec le cadran solaire et les papiers ? Je ne tiendrai aucun compte de cette idiotie.

» — Vous devriez avertir la police !

» — Pour que je sois la risée du pays? Jamais de la vie!

» — Laissez-moi l'avertir, moi!

» — Non, je te l'interdis. Je ne veux pas d'histoires pour une imbécillité semblable.

» Comme il était très entêté, je compris, je n'avais pas lieu d'insister. Mais mon cœur demeura lourd.

» Trois jours après l'arrivée de cette lettre, mon père partit pour aller chez l'un de ses vieux amis, le major Freebody, qui commande l'un des forts dominant Portsdown Hill. J'étais heureux qu'il se fût décidé à cette visite, car il me semblait qu'au loin il serait moins en danger qu'à la maison. En quoi je me trompais. Au deuxième jour de son absence, je reçus un télégramme du major, m'enjoignant de venir immédiatement. Mon père était tombé dans une carrière de craie; il y en avait beaucoup dans les environs. On l'avait relevé inanimé, le crâne fracassé. J'arrivai au plus vite, mais il mourut sans avoir repris connaissance. Selon toute apparence, il revenait de Fareham au crépuscule : il ne connaissait pas la région; la carrière de craie n'était pas clôturée. Sans hésiter, le jury rapporta un verdict de mort par accident. J'eus beau reprendre un à un les faits en rapport avec sa mort, je dus m'avouer incapable de trouver la moindre chose qui pût suggérer une idée de meurtre. Aucune trace de violence, pas d'empreintes, il n'avait point été dévalisé, on n'avait pas remarqué d'étrangers rôdant sur les routes. Ai-je besoin de vous dire que mon esprit n'en trouva pas la paix pour cela, et que je demeurai persuadé qu'il avait

été victime d'un invraisemblable complot ?

» C'est sous ces sinistres auspices que je pris possession de mon héritage. Vous vous demandez sans doute pourquoi je ne m'en suis pas débarrassé ? Tout simplement parce que j'étais sûr que nos malheurs provenaient de quelque incident dans la vie de mon oncle ; le danger serait donc aussi menaçant n'importe où.

» Mon père avait trouvé la mort en janvier 1885. Deux années et huit mois s'écoulèrent : j'avais vécu tranquille à Horsham, et je commençais à espérer que la malédiction ne pèserait plus sur notre famille, qu'elle avait été levée avec la disparition tragique de la génération précédente. Cependant je m'étais rassuré trop vite ; hier matin, le destin frappa à ma porte, comme il l'avait fait pour mon pauvre père.

Le jeune homme tira de sa veste une enveloppe froissée ; il la vida sur la table : cinq petits pépins d'orange séchés en tombèrent.

— Voici l'enveloppe, poursuivit-il. Le cachet de la poste indique Londres, secteur Est. A l'intérieur, il y a les mêmes mots qui furent écrits à mon père : KKK, puis : *Mettez les papiers sur le cadran solaire.*

— Qu'avez-vous fait ? s'enquit Holmes.

— Rien.

— Rien ?

— Pour tout vous dire, murmura-t-il en cachant son visage dans ses mains, je me suis senti désespéré ! Pareil à l'un de ces pauvres lapins hypnotisés par un serpent. J'ai l'impression d'être tombé au pouvoir d'une divinité inexorable, à laquelle il est impossible de résister, et contre laquelle aucune précaution ne me protégera.

— Tut ! tut ! s'écria Sherlock Holmes. Il faut agir, mon ami, ou vous êtes perdu ! Seule l'énergie peut vous sauver. Ce n'est pas le moment de sombrer dans le désespoir !

— J'ai vu la police.

— Ah ?

— Ils m'ont écouté avec le sourire aux lèvres. Je suis persuadé que l'inspecteur a son opinion toute faite : les lettres sont autant de farces ; quant à la mort de mon oncle et à celle de mon père, simples accidents ! Les jurys n'ont-ils pas conclu dans ce sens ? Ces décès sont certainement sans aucun lien avec les avertissements.

Holmes claqua ses deux mains en l'air.

— Les imbéciles ! cria-t-il. C'est incroyable !

— Ils m'ont cependant accordé un policeman, qui demeure chez moi.

— Vous a-t-il accompagné ici ce soir ?

— Non. Il a pour consigne de rester à la maison.

De nouveau les bras de Holmes s'agitèrent dans l'air.

— Pourquoi êtes-vous venu me voir ? dit-il. Et surtout pourquoi n'êtes-vous pas venu tout de suite ?

— Je ne savais pas. C'est seulement aujourd'hui que j'ai parlé au major Prendergast de mes ennuis, et c'est aujourd'hui qu'il m'a conseillé d'aller vous voir.

— En réalité, voilà deux jours que vous avez reçu la lettre. Nous aurions dû agir, déjà ! Vous n'avez aucune autre indication, je suppose, aucun détail suggestif à nous communiquer qui pourrait nous aider ?

— Une seule chose, dit John Openshaw.

Il fouilla dans la poche de son manteau et posa sur la table un morceau de papier décoloré, bleuâtre.

— Le jour où mon oncle a brûlé les papiers, j'ai remarqué que les petits bouts non réduits en cendres étaient de cette couleur particulière. Et sur le plancher de sa chambre, j'ai trouvé ce feuillet. Je pense qu'il doit s'agir de l'un des papiers qui, peut-être, a glissé hors de la liasse des autres, et a ainsi échappé à la destruction. Mais en dehors de l'allusion aux pépins, je ne vois pas comment il pourrait nous aider. Je crois que c'est une page de quelque agenda personnel. Incontestablement l'écriture est celle de mon oncle.

Holmes déplaça la lampe ; nous nous penchâmes au-dessus du feuillet ; un côté déchiré témoignait qu'il avait été arraché d'un carnet. En tête, il y avait : *Mars 1869;* en dessous ces notes énigmatiques :

4. Hudson est venu. Même vieux programme.
7. Envoyé pépins à McCauley, Paramore, et Swain de Sainte-Augustine.
9. McCauley compris.
10. Swain compris.
12. Visité Paramore. Tout bien.

— Merci ! dit Holmes en repliant le feuillet et en le rendant à notre visiteur. Et maintenant vous n'avez plus sous aucun prétexte à perdre du temps. Même pas le temps de discuter sur ce que vous m'avez dit. Il faut rentrer chez vous, tout de suite, et agir.

— Que dois-je faire ?

— Il n'y a qu'une seule chose à faire. Et vous la ferez immédiatement. Vous mettrez ce feuillet de papier dans la caissette de cuivre que vous nous avez décrite. Vous mettrez dedans aussi une lettre disant que tous les autres papiers ont été brûlés par votre oncle, et que celui-ci est le seul qui reste. Employez les mots qui arracheront la conviction de celui qui vous lira. Une fois ceci accompli, mettez aussitôt la boîte sur le cadran solaire, comme on vous l'a ordonné. Comprenez-vous ?

— Oui.

— Pour l'instant, ne pensez pas à vous venger, ou à quoi que ce soit d'analogue. Je pense que nous pourrons gagner par des moyens légaux ; mais nous avons à confectionner notre filet, tandis que le leur est déjà tendu. Il s'agit d'abord d'éloigner le danger qui vous menace. Ensuite nous éluciderons ce mystère, et nous punirons les coupables.

— Je vous remercie, dit le jeune homme, qui se leva et enfila son imperméable. Vous m'avez redonné de l'espoir et du courage. J'agirai comme vous me l'avez conseillé.

— Ne perdez pas un instant. Et surtout, faites attention à vous dans l'intervalle : car sans aucun doute un danger grave et imminent plane sur vous. Comment rentrez-vous ?

— Par le train depuis Waterloo.

— Il n'est pas encore neuf heures. Les rues ne sont donc pas désertes, aussi je pense que vous ne risquez rien. Pourtant, vous ne vous garderez jamais trop !

— Je suis armé.

— Bon. Demain je m'attaque à votre affaire.

— Vous verrais-je à Horsham ?

— Non. Le secret se dissimule dans Londres.

C'est à Londres que j'essaierai de le percer

— Alors, je viendrai vous voir dans un ou deux jours, et je vous porterai des nouvelles au sujet de la boîte et des papiers. Pour tout ce qui pourra survenir, je m'en remets complètement à vous.

Il nous serra la main et prit congé. Dehors le vent continuait de hurler, la pluie de battre nos vitres. On aurait dit que cette histoire étrange, sauvage, nous avait été apportée par la folie furieuse des éléments déchaînés.

Sherlock Holmes demeura assis en silence ; sa tête était penchée en avant, ses yeux baissés sur les lueurs rouges du feu. Puis il alluma sa pipe, cala son dos dans le fauteuil, et contempla les anneaux bleus de la fumée qui se pourchassaient jusqu'au plafond.

— Je crois, Watson, dit-il enfin, que voilà l'affaire la plus fantastique que nous ayons eu à résoudre.

— Sauf, peut-être, le *Signe des Quatre.*

— Bon. Oui. Sauf, peut-être, cela. Et cependant ce John Openshaw me paraît environné de périls plus grands que ceux auxquels les Sholto avaient affaire.

— Mais vous êtes-vous formé une idée précise de ces périls ?

— Quant à leur nature, la question ne se pose pas.

— Alors quels sont-ils ? Qui est ce KKK et pourquoi s'acharne-t-il sur cette famille malheureuse ?

Sherlock Holmes ferma les yeux et plaça les coudes sur les bras de son fauteuil en rassemblant les extrémités de ses dix doigts.

— Le logicien idéal, dit-il, une fois qu'il lui a été montré un simple fait sous tous ses angles, devrait en déduire non seulement tout l'enchaînement des événements qui l'ont enfanté, mais encore tous les effets qu'il enfantera lui-même. De même que Cuvier pouvait reconstituer correctement un animal entier d'après un seul os minutieusement observé, de même l'observateur, s'il a bien étudié un fait dans une série d'incidents, devrait être capable d'énoncer ceux qui l'ont précédé et ceux qui lui succéderont. Nous ne nous sommes pas encore rendu compte des résultats que peut obtenir la raison seule. Des problèmes, qui avaient dérouté tous ceux qui en avaient cherché la solution par l'exercice des sens, ont pu être résolus en cabinet par la réflexion. Pour porter un tel art, cependant, à son plus haut degré de perfection, il est nécessaire que le logicien soit capable d'utiliser tous les faits connus ; ce qui implique de sa part des connaissances très étendues, si étendues même que, malgré cette époque de libre éducation et d'encyclopédies, rares sont ceux qui les possèdent ! Mais je ne crois pas impossible qu'un homme parvienne à acquérir la somme de connaissances indispensables à son travail ; en tout cas, je me suis efforcé, moi, de l'acquérir ! Si ma mémoire est bonne, vous avez défini, en une occasion qui remonte aux premiers temps de notre amitié, mes limites avec une précision très mathématique.

— Oui, répondis-je en riant. C'était un document peu banal. En philosophie, en astronomie et en politique, je vous avais noté zéro, je m'en souviens. En botanique, irrégulier. En géologie, solide pour déceler l'origine des taches de boue dans un rayon de quatre-vingts kilomètres autour de Londres. En chimie, excentrique. En anatomie, manque de méthode. En littérature à sensations et en histoire criminelle, unique. Joueur de violon. Boxeur. Escrimeur au sabre. Homme de loi. Et s'intoxiquant à la cocaïne et au tabac. Telles étaient, je crois, les conclusions principales de mon analyse.

A l'énoncé de la dernière rubrique, Holmes sourit de toutes ses dents.

— Soit ! dit-il. Aujourd'hui je vous réponds, comme je vous avais d'ailleurs répondu alors, que l'homme devrait garder dans sa petite mansarde en matière grise tout ce dont il peut avoir besoin ; quant au reste, qu'il le mette dans l'arrière-boutique ! Il aura toujours la ressource de s'y référer en cas de nécessité... Pour en revenir à une affaire comme celle qui nous a été soumise ce soir, nous n'aurons pas de trop de toutes nos réserves de matière grise. Voulez-vous me passer la lettre K de l'*Encyclopédie américaine ?* Elle est sur le rayon à côté de vous. Merci. A présent, considérons la situation, et voyons ce qui peut en être déduit. Premièrement, il existe une forte présomption pour que le colonel Openshaw ait eu un motif très sérieux pour quitter l'Amérique : parvenus à un âge mûr, les hommes changent rarement leurs habitudes et ne délaissent pas volontiers le bénéfique climat de la charmante Floride pour mener une vie solitaire dans une ville de province, fût-ce en Angleterre. Cette manie de la solitude dans son pays natal tendrait à suggérer qu'il avait peur de quelqu'un ou de quelque chose :

prenons donc comme hypothèse de travail que le colonel Openshaw a fui l'Amérique par peur de quelqu'un ou de quelque chose. De quoi avait-il peur ? A cette question, nous ne possédons en fait d'éléments de réponse que les lettres inouïes reçues par lui-même et ses successeurs. Avez-vous fait attention aux cachets postaux de ces lettres ?

— La première était timbrée de Pondicherry. La seconde de Dundee. La troisième de Londres.

— De Londres, secteur Est. Quelles sont vos déductions ?

— Il s'agit de trois ports de mer. L'expéditeur doit être à bord d'un bateau.

— Très bien ! Nous avons déjà un indice. Sans aucun doute, une probabilité existe, une grosse probabilité, que l'expéditeur des lettres — donc leur auteur — était à bord d'un bateau. Considérons maintenant un autre point. Dans le cas de Pondicherry, sept semaines s'écoulèrent entre la menace et sa réalisation. Dans le cas de Dundee, il n'y eut que trois ou quatre jours seulement. Cela ne vous dit rien ?

— La distance à franchir était plus longue.

— Mais la lettre avait aussi une plus grande distance à franchir.

— C'est vrai ! Alors je ne vois pas...

— Il y a au moins une présomption pour que le bateau sur lequel se trouvait l'homme, ou les hommes, soit un voilier. Tout s'est passé comme s'ils envoyaient toujours leurs singuliers avertissements au-devant d'eux, lorsqu'ils partaient pour leur mission. Voyez comme l'acte a promptement suivi le message quand celui-ci a été expédié de Dundee. S'ils étaient venus de Pondicherry à bord d'un vapeur, ils seraient arrivés presque en même temps que leur lettre ; mais sept semaines se sont écoulées. Je pense que ces sept semaines représentent la différence entre le bateau-poste qui apporta la lettre et le voilier qui amena son auteur.

— C'est bien possible !

— Plus que possible : probable. Vous comprenez maintenant l'urgence mortelle qu'il y a à régler cette nouvelle affaire, et pourquoi j'ai pressé le jeune Openshaw de prendre toutes précautions. Chaque fois le coup est tombé juste à l'expiration du délai nécessaire aux expéditeurs pour franchir la distance. Mais cette fois la lettre est timbrée de Londres : nous ne pouvons donc plus compter sur le moindre délai.

— Mon Dieu ! m'écriai-je. Mais que signifie donc cette persécution ?

— Les papiers que détenait Openshaw sont certainement d'une importance vitale pour la personne ou les personnes, à bord de ce voilier. Je crois évident qu'ils sont plusieurs. Un homme seul n'aurait pu commettre deux crimes assez bien maquillés pour abuser un jury. Ils doivent être plusieurs, et ce sont des hommes aussi hardis qu'inventifs. Ils veulent reprendre leurs papiers, quel qu'en soit leur détenteur. De cette manière, vous comprenez que KKK cesse d'être les initiales d'un individu pour devenir le symbole d'une association.

— Mais laquelle, Holmes ?

— N'avez-vous jamais entendu parler... (ici

Sherlock Holmes baissa la voix et se pencha vers moi) du Ku Klux Klan ?

— Jamais !

Holmes feuilleta le livre qu'il avait posé sur ses genoux :

— Voici ! dit-il. Ku Klux Klan. « Nom dérivé d'une ressemblance imaginaire avec le bruit d'un fusil qu'on arme. Cette terrible société secrète a été constituée par quelques soldats ex-confédérés dans les Etats du Sud après la guerre de Sécession. Rapidement elle a étendu des ramifications locales dans différentes régions, notamment dans le Tennessee, en Louisiane, dans les Carolines, en Géorgie et en Floride. Sa puissance a été utilisée pour des desseins politiques, principalement pour terroriser les électeurs noirs, et pour assassiner ou chasser d'Amérique les adversaires de ses idées. Ses violences étaient habituellement précédées d'un avertissement, adressé à l'homme en cause, d'une manière bizarre mais reconnaissable ; tantôt une ramille de feuilles de chêne, tantôt des grains de melon ou des pépins d'orange. Lorsqu'il recevait l'avertissement, le destinataire avait le choix entre une abjuration de sa conduite ou la fuite hors de portée. S'il bravait les expéditeurs du message, il trouvait infailliblement la mort, la plupart du temps d'une manière imprévisible et mystérieuse. L'organisation de la société était si parfaite, et ses méthodes si bien au point, qu'on ne connaît pas d'exemple où un homme soit parvenu à lui résister sans être châtié, ni où il ait été possible de remonter du crime à ses auteurs. Pendant plusieurs années l'organisation s'est développée, en dépit des efforts du gouvernement des Etats-Unis et des meilleurs éléments de la communauté du Sud. En fin de compte le mouvement s'effondra subitement en 1869 ; cependant depuis cette date il y a eu quelques recrudescences du même ordre. »

Holmes reposa le volume.

— Vous remarquerez, dit-il, que l'effondrement subit de la société coïncide avec la disparition de Openshaw, qui quitta l'Amérique avec des papiers. Nous tenons peut-être là la cause et l'effet. Il ne faudrait pas s'étonner si lui et sa famille ont eu à leurs trousses quelques-uns des membres les plus implacables du Ku Klux Klan. Ce registre et les carnets peuvent contenir les noms ou avoir consigné les actes des premiers associés du Sud ; et certains ne dorment peut-être pas tranquilles.

— La page que nous avons vue...

— Est bien telle que nous devions l'imaginer. Elle contient, pour autant que je me souvienne : « Envoyé les pépins à A, B et C » : autrement dit : « Envoyé l'avertissement de l'association à tel ou tel. » Puis il est inscrit que A et B ont « compris », probablement parce qu'ils ont quitté le pays. Quant à C, il a été « visité » ; je crains fort que cette visite n'ait eu pour C un résultat sinistre... Hé bien ! docteur, je pense que nous pouvons apporter un peu de lumière dans cette obscurité ! Mais je crois aussi que la seule chance qu'ait dans l'intervalle le jeune Openshaw consiste à exécuter mes instructions. Pour ce soir, tenons-nous en là : il n'y a rien de plus à dire ou à faire. Passez-moi donc, s'il vous plaît, mon violon ; et essayons d'oublier pendant une demi-heure ce temps de misère ainsi que le comportement encore plus misérable de nos congénères.

Au matin, le ciel s'était amélioré ; le soleil brillait avec un éclat tamisé par le voile de brume qui baignait la ville. Quand je descendis, Sherlock Holmes était déjà attablé pour le petit déjeuner.

— Vous m'excuserez si je ne vous ai pas attendu, dit-il, mais je prévois que j'aurai une journée fort occupée avec cette affaire du jeune Openshaw.

— Que comptez-vous faire ? demandai-je.

— Tout dépendra du résultat de mes premières recherches. Peut-être aurai-je à me rendre à Horsham.

— Vous ne commencerez pas par là ?

— Non. Je commence par la City. Sonnez, Watson : la bonne vous apportera votre café.

En attendant, je pris le journal du matin, qui n'avait pas encore été déplié, et je l'ouvris. Mes yeux se fixèrent sur un gros titre et mon sang se glaça.

— Holmes ! criai-je. Trop tard !

— Ah ? fit-il en reposant sa tasse. Je m'en doutais ! Qu'est-ce qui est arrivé ?

Il parlait avec calme, mais je vis qu'il était profondément ému.

— J'ai aperçu le nom de Openshaw et le titre : « Tragédie près du pont de Waterloo »... Voici l'article : « Entre neuf et dix heures du soir, l'inspecteur de police Cook de la division H, en service près du pont de Waterloo, entendit crier au secours et le bruit d'une chute dans l'eau. La nuit était très sombre ; la tempête faisait rage. En dépit de l'aide spontanément apportée par des passants, il fut tout à fait impossible de procéder à un sauvetage. L'alerte fut cependant donnée, et grâce à la police fluviale le corps put être repêché. Il fut établi qu'il s'agissait d'un jeune gentleman dont le nom, d'après une enveloppe trouvée dans sa poche, était John Openshaw, de Horsham. Il est probable qu'il devait se presser pour prendre le dernier train de la gare de Waterloo, que, dans sa course, et dans l'obscurité profonde, il perdit son chemin, et qu'il culbuta par-dessus le parapet de l'un des quais d'accostage des vapeurs. Le cadavre ne portait aucune trace de violence. Il ne peut pas être mis en doute que la victime a succombé à un accident malheureux : cette mort devrait attirer l'attention des pou-

voirs publics sur la mauvaise protection des quais. »

Un silence tomba. Jamais je n'avais vu Holmes si déprimé ni si secoué.

— Je souffre dans mon orgueil, Watson ! dit-il. C'est un sentiment mesquin, peut-être, mais je souffre dans mon orgueil. J'en fais à partir de maintenant une affaire personnelle ; si Dieu le veut, je liquiderai ce gang. Dire qu'il est venu pour que je l'aide, et que je l'ai envoyé à la mort !...

Il bondit de sa chaise pour arpenter la pièce dans une agitation qu'il ne pouvait maîtriser. Ses joues creuses brûlaient de fièvre ; ses longues mains fines se nouaient et se dénouaient en faisant craquer leurs os.

— Ce sont de fameux démons ! s'exclama-t-il enfin. Comment ont-ils pu l'entraîner là-bas ? Le quai n'est pas sur le chemin direct de la gare. Et le pont était sûrement trop plein de monde malgré le mauvais temps pour que leurs desseins s'accomplissent ! Hé bien ! Watson, nous verrons qui gagnera : c'est une épreuve d'endurance ! A présent je sors.

— Vous allez à Scotland Yard ?

— Non. Je serai moi-même ma propre police. Quand j'aurai tissé ma toile, ils prendront les mouches ; mais pas avant !

Je fus occupé toute la journée par mon travail, et je ne revins que tard dans la soirée à Baker Street. Sherlock Holmes n'était pas encore rentré. Il fit son apparition vers dix heures : il était pâle et épuisé. Il alla vers le buffet, coupa une tranche de pain et la dévora en se rafraîchissant avec de l'eau fraîche.

— Vous êtes affamé ! lui dis-je.

— Mourant de faim, oui ! J'ai oublié à midi de manger. Je n'ai rien pris depuis le petit déjeuner.

— Rien ?

— Rien. Je n'y ai même pas pensé.

— Et comment cela a-t-il marché ?

— Bien.

— Vous avez une piste ?

— Je les tiens dans le creux de ma main. Le jeune Openshaw n'attendra pas longtemps sa vengeance. Oui, Watson, je vais imprimer sur eux-mêmes leur cachet du diable ! Tout bien réfléchi...

— Que voulez-vous dire ?

Il alla chercher une orange dans le buffet, la divisa en quartiers, et exprima les pépins au-dessus de la table. Il en saisit cinq, les enfouit dans une enveloppe. Sur l'intérieur de la patte il écrivit : *S.H. pour J.C.* Puis il la ferma et mit l'adresse : *Capitaine James Calhoun, Barque « Lone Star »*, Savannah, Géorgie.

— Il les trouvera quand il arrivera au port, dit-il en ricanant. Il n'en dormira pas de la nuit. Il y verra un avertissement du destin, exactement comme l'avait vu avant lui le jeune Openshaw.

— Et qui est le capitaine Calhoun ?

— Le chef du gang. J'aurai les autres. Mais je le veux lui, d'abord.

— Comment l'avez-vous dépisté ?

Il tira de sa poche une grande feuille de papier couverte de noms et de dates.

— J'ai passé la journée, dit-il, à compulser les registres des Lloyd's et de vieux fichiers. Je voulais suivre la filière de tous les bateaux qui ont abordé à Pondicherry en janvier et février 1883. Pendant ces deux mois il y en a eu trente-six. Le *Lone Star* a tout de suite retenu mon attention : certes il était déclaré comme ayant embarqué à Londres ; mais le nom de *Lone Star* est celui qui est donné à l'un des Etats américains.

— Le Texas, je crois.

— Je n'en étais pas sûr, et je n'en suis pas encore sûr. Mais je me doutais que ce bateau avait une origine américaine.

— Ensuite ?

— J'ai compulsé les fichiers concernant Dundee ; et quand j'ai découvert que la barque *Lone Star* y avait fait escale en janvier 1885, mes soupçons se sont mués en certitude. Je me suis alors renseigné sur les bateaux qui mouillent à présent dans le port de Londres.

— Oui ?

— Le *Lone Star* est arrivé la semaine dernière. Je suis allé sur le quai Albert, et on m'a informé qu'il était reparti ce matin avec la première marée à destination de Savannah. J'ai télégraphié à Gravesend, et j'ai appris qu'il venait de passer. Comme le vent souffle d'est, je pense qu'il a franchi les Goodwins et qu'il n'est pas très loin de l'île de Wight.

— Qu'allez-vous faire ?

— Oh ! ma main est sur Calhoun. Lui et ses deux seconds sont, paraît-il, les trois seuls Américains du bateau. Les autres sont Finlandais ou Allemands. Je sais d'autre part qu'ils n'étaient pas à bord hier au soir. C'est l'arrimeur qui me l'a dit, celui qui chargeait leur cargo. Pendant que leur voilier fera route vers Savannah, le bateau-poste transportera cette lettre, et un câble informera la police de Savannah que ces trois gentlemen sont réclamés ici pour y répondre d'un crime.

Il y a toujours une faille, dans les plans humains les mieux établis : jamais les meurtriers de John Openshaw ne reçurent les pépins d'orange. La lettre leur aurait pourtant prouvé que quelqu'un, aussi rusé et hardi qu'eux-mêmes, était sur leur piste. Mais cette année-là les tempêtes d'équinoxe durèrent très longtemps avec une violence extrême. Nous attendîmes en vain de Savannah des nouvelles du *Lone Star,* mais aucune ne nous parvint. Finalement nous apprîmes que quelque part, très loin dans l'Atlantique, un étambot brisé avait été aperçu entre deux vagues et que les lettres « L.S. » y étaient gravées. Voilà tout ce que nous sûmes du destin du *Lone Star*..

TABLE DES MATIÈRES

Un scandale en Bohême	7
La Ligue des rouquins	49
Une affaire d'identité	91
Le mystère du val Boscombe	123
Les cinq pépins d'orange	166

Castor Poche

Des livres pour toutes les envies de lire,
envie de rire, de frissonner, envie
de partir loin ou de se pelotonner dans un coin.

Des livres pour ceux qui dévorent.
Des livres pour ceux qui grignotent.
Des livres pour ceux qui croient ne pas aimer lire.
Des livres pour ouvrir l'appétit de lire et de grandir.

Castor Poche rassemble des textes du monde entier ; des récits qui parlent de vous mais aussi d'ailleurs, de pays lointains ou plus proches, de cultures différentes ; des romans, des récits, des témoignages, des documents écrits avec passion par des auteurs qui aiment la vie, qui défendent et respectent les différences. Des livres qui abordent les questions que vous vous posez.

Les auteurs, les illustrateurs, les traducteurs vous invitent à communiquer, à correspondre avec eux.

Castor Poche
Atelier du Père Castor
4, rue Casimir-Delavigne
75006 PARIS

Castor Poche

A chacun ses intérêts, à chacun ses lectures.

9 séries à découvrir :
Aventures
Contes et Fables
Connaissances
Fantastique et Science-fiction
Histoires d'Animaux
Humour
Le monde d'Autrefois
Mystère et Policier
Vivre Aujourd'hui

Castor Poche
Une collection qui s'adresse à tous les enfants
Benjamin : dès 3/4 ans
Cadet : dès 5/6 ans
Junior : dès 7/8 ans
Senior : dès 11/12 ans

Castor Poche, des livres pour toutes les envies de lire : pour ceux qui aiment frissonner, les romans policiers, résoudre des énigmes, voici une sélection de romans palpitants.

95 **La boîte aux lettres secrète** **Junior**
par Jan Mark

Comment correspondre avec sa seule amie après son départ, lorsque l'on a dix ans, pas de téléphone et que les timbres coûtent trop cher pour lui écrire ? Louise a une idée : il faut déposer des messages dans une boîte aux lettres secrète, comme les espions ! L'idée de Louise n'est pas si mauvaise, même si les effets en sont plutôt inattendus...

101 **L'énigme du gouffre noir** **Junior**
par Colin Thiele

Les cavernes souterraines sont très nombreuses dans la région d'Aus- tralie où habitent Ket et sa famille. Ket connaît les dangers de ces puits remplis d'eau, véritables trous de la mort, et de ces labyrinthes de tunnels sinueux. Pourtant, après avoir entendu parler d'un trésor caché sous terre, voilà Ket entraîné par ses deux amis à s'y aventurer...

102 **Les poings serrés** **Senior**
par Olivier Lécrivain

Un sacré bagarreur l'apprenti forgeron! Ses poings de quatorze ans, il sait s'en servir... Alors, lorsque l'on remonte des eaux de la Gartempe le corps de Dédé, on a vite fait de le déclarer coupable. Loïc va-t-il laisser détruire sa vie par ces calomnies ? Pourtant, depuis son accident, il ne se souvient pas bien... Ses ennemis auraient-ils raison?

127 **L'énigme de l'Amy Foster** **Senior**
par Scott O'Dell

À seize ans, Nathan est mousse sur le trois-mâts de ses frères. Ils recherchent l'épave de l'Amy Foster, un baleinier disparu dans des circonstances troubles et qui transportait une fortune en ambre gris. Mais l'épave reste introuvable, et un vent de mutinerie souffle sur l'équipage...

193 Je suis innocent ! ! ! — Senior
par Mel Ellis

Danny Stuart, dix-sept ans, est accusé d'avoir assassiné un voisin. Au début, Danny est persuadé que son innocence va éclater à la vue de tous. Il n'hésite pas à partir en cachette nourrir Molly, la chienne de la victime, réfugiée dans les collines avec sa portée de chiots. Mais la date du procès se rapproche et Danny s'aperçoit avec angoisse qu'il n'a aucun moyen de se défendre contre les preuves accablantes qui s'accumulent contre lui....

215 Le Penseur mène l'enquête — Junior
par Christine Nöstlinger

Daniel dit « le Penseur », Michaël « le Lord » et Otto dit « As de Pique » forment avec Lilibeth le petit clan très soudé de la classe de 4e D. Après une succession de vols commis dans la classe, le Lord est accusé. Ses trois amis, convaincus de son innocence, mettent tout en œuvre pour trouver le coupable.

286 Stève et le chien Sorcier — Junior
par Anne Pierjean

Au cours d'une partie de pêche au bord de la Drôme, Stève et son inséparable ami Pat rencontrent Carême le clochard qui vit avec son chien, Sorcier. Le vieil homme prétend posséder un trésor dont il serait le seul, avec son chien, à connaître la cachette. Quelques jours plus tard, Carême est victime d'une agression...

310 Laura et le mystère de la chambre rose — Junior
par Jacques Delval

Pour s'éviter de longs trajets quotidiens entre l'école et la maison, Laura va habiter chez une grand-tante. Et voici Laura emportée dans une aventure des plus étranges. Quel mystère cache la vieille demeure ? Pourquoi ces bruits inquiétants, ces chambres toujours fermées à clef ?

330 **Les fantômes de Klontarf** **Junior**
par Colin Thiele

Matt et Terry vont jouer dans la colline. Un orage éclate, Terry tombe et se casse la jambe ! Matt laisse Terry à l'abri dans une demeure abandonnée. Lorsque les secours arrivent, Terry prétend avoir vu des fantômes... Malgré l'hostilité des propriétaires de la vieille ferme, Matt et ses amis n'abandonnent pas. Ils vont affronter le danger pour découvrir quels mystères cachent ces vieux murs...

338 **Passage de la Main-d'Or** **Junior**
par Laurence Lefèvre

Estelle, Antoine Bonnard et leurs enfants - Victor et Indiana -, emménagent dans un vieil atelier du XIe arrondissement de Paris. Indiana rencontre un curieux jeune Anglais amnésique. D'où vient-il ? Pourquoi a-t-il si peur des chats ? Un vent de folie souffle sur le passage de la Main-d'Or.

348 **Le mystère de la maison aux chats** **Junior**
par Carol Adorjan

Beth vient d'emménager dans une vieille maison, elle a pour voisin un couple aux allures originales. La dame propose à Beth de nourrir en son absence les cinq chats qu'elle a recueillis. Mais des indices étranges intriguent Beth. Il y a quelqu'un d'autre dans la maison. Il faudra du courage et de la détermination à Beth pour mener son enquête.

380 **La folle poursuite** **Junior**
par Hugh Galt

À Dublin, Nicolas possède-t-il à peine le vélo de ses rêves qu'on le lui vole. En partant sur les traces des voleurs, il tombe sur une bande de kidnappeurs très dangereux. Suspense, mouvement et humour sont au rendez-vous qui nous mène au dénouement d'une traite.

384 **Deux espions à Fécamp** **Junior**
par Bertrand Solet
Été 1906, c'est la saison des bains de mer pour les riches vacanciers, mais Jean-Marie travaille dur dans les cuisines d'un hôtel. Son père, un terre-neuvas, a été blessé lors d'une campagne de pêche et le garçon veut savoir par qui. Dans la ville se cachent deux espions russes traqués par les policiers. Jean-Marie, l'espace d'un été, joue au détective.

425 **Sur la piste du léopard** **Junior**
par Cecil Bødker
Une nouvelle fois le léopard emporte un veau de Tibeso, le gardien du troupeau. Il part alors au village voisin chez le grand sorcier chercher conseil. Mais le léopard n'est pas le seul responsable des vols, Tibeso le sait, et les brigands savent aussi qu'ils ont été découverts par un enfant. C'est le début d'une course poursuite haletante...

430 **Le Mugigruff, la bête du mont Grommelon** **Junior**
par Natalie Babbitt
Par temps de pluie, des pleurs lancinants s'élèvent du mont Grommelon. Depuis plus de mille ans, une bête abominable vit là-haut dans la brume à donner des frissons aux habitants du bourg niché au pied du mont. Un garçon de onze ans, en visite chez son oncle, décide d'aller là-haut voir de quoi il retourne...

447 **La mémoire en miettes** **Junior**
par Thierry Alquier
L'inspecteur Lemarchand, à la veille d'un long week-end, découvre au poste de police unjeune garçon amnésique. Il ne sait qui il est, d'où il vient, il a même oublié son nom. On l'appellera Mémory en attendant que la mémoire lui revienne, il sera recueilli par les Lemarchand. L'inspecteur et son fils Étienne mèneront l'enquête pour retrouver le passé de Mémory. C'est le début d'un long voyage...

465 L'ancêtre disparue **Junior**
par Lorris Murail
Corinne, Marinette et Arthur, en vacances dans la maison de leurs ancêtres, découvrent un album de famille. Pourquoi certaines photos ont-elles été systématiquement découpées, supprimant le visage d'une femme? Les trois enfants mènent l'enquête, et partent à la recherche du secret de famille oublié.

466 Rends la monnaie, Papa! **Junior**
par Elizabeth Faucher
À onze ans, Timmy ne connaît pas son père. Ce dernier passe sa vie en prison, entre deux mauvais coups, toujours ratés. Sa tante, qui l'élève, part en voyage de noces une semaine. C'est l'occasion pour Timmy de connaître enfin son père. Mais il s'aperçoit bientôt que celui-ci a encore des projets pas très honnêtes...

468 Les aventures de Sherlock Holmes, tome 1 **Senior**
par sir Arthur Conan Doyle
Sherlock Holmes déploie son génie de la déduction dans cinq nouvelles où le moindre détail a son importance et lui permet de reconstituer une affaire jusque dans le plus petit détail...

469 Les aventures de Sherlock Holmes, tome 2 **Senior**
par Sir Arthur Conan Doyle
Quatre nouvelles dans lesquelles Sherlock Holmes nous entraîne des bas-fonds londoniens jusque dans la campagne anglaise. La police britannique ne parvient pas à dénouer les intrigues? Qu'à cela ne tienne, notre célèbre détective amateur, flanqué de son fidèle Wat- son, s'attaque, avec brio, aux énigmes les plus compliquées...

478 **Le chien des Baskerville** **Senior**
par Sir Arthur Conan Doyle

Une malédiction pèse sur les Baskerville. Une lande désolée cerne le manoir familial, elle est hantée par une bête mi-chien mi-démon qui, selon la légende, tue le dernier héritier du nom. Sir Henry de Baskerville, très impressionné par la mort tragique de son oncle, en appelle au génie de Sherlock Holmes pour briser le sort qui semble s'acharner sur la famille.

486 **Le casse-tête chinois** **Senior**
par Harriet Graham

Flora et William ont été recueillis par Samuel Rolandson, le célèbre magicien. Alors que les enfants s'apprêtent à partir en vacances, Samuel reçoit la visite de Chang, un vieil ami chinois. Samuel semble tout heureux de le retrouver, pourtant les enfants soupçonnent Chang de leur cacher quelque chose...

490 **Arsène Lupin Le bouchon de cristal** **Senior**
par Maurice Leblanc

Un mystérieux bouchon de cristal est convoité par beaucoup trop de monde. Quel secret recèle-t-il, comment expliquer que certains iraient jusqu'au meurtre pour se le procurer? Arsène Lupin mène l'enquête. Notre brillant gentleman devra se montrer très astucieux s'il veut faire échouer les plans d'un adversaire particulièrement redoutable.

491 **Arsène Lupin L'agence Barnett et Cie** **Senior**
par Maurice Leblanc

Qui est donc cet intrigant Jim Barnett? Il se trouve mêlé aux histoires les plus rocambolesques et tire toujours au clair les plus grands mystères? Il semblerait que son agence privée, Barnett et Cie, résolve tous les problèmes gratuitement ou presque! Chaque fois, ce sont les coupables qui sont punis et les innocents qui échappent aux dangers! Vous l'aurez compris, Arsène Lupin n'est pas loin...

Mystère et Policier

494 Sam, détective privé **Junior**

par Linda Stewart

Sam a toutes les caractéristiques d'un détective privé new-yorkais, mais c'est un chat ! Sa clairvoyance et son grand sens de la déduction l'amènent à résoudre le mystère des cambriolages qui inquiètent les habitants de son quartier...

Castor Poche, des livres pour toutes les envies de lire pour ceux qui aiment le mouvement, voici une sélection de romans d'aventure.

1 **Akavak** **Junior**

par James Houston

A quatorze ans, Akavak l'Esquimau entreprend un périlleux voyage pour accompagner son grand-père de l'autre côté des montagnes glacées du Grand Nord canadien. Ce garçon courageux et tenace, ce vieil homme plein de sagesse arriveront-ils à bout des souffrances, des privations, des dangers?

2 **L'arbre à voile** **Junior**

par Wanda Chotomska

En Pologne, un groupe d'enfants d'une cité dortoir, découvre un grand peuplier. Grâce à lui, ils vivent de merveilleuses aventures jusqu'au jour où des hommes arrivent pour abattre « leur » arbre. Les enfants réussiront-ils à le sauver?

3 **L'eau secrète** **Junior**

par Marie-Claude Roulet

Marie, Luc et Louis vivent une enfance limousine et sauvage au cœur de la nature. Le corbeau qui « sait » parler, la grotte du « Baobab », les parapluies fantastiques et l'eau partout présente, font vivre aux enfants des aventures où la réalité côtoie le rêve...

7 **Du soleil sur la joue** **Junior**

par Marilyn Sachs

Nicole vit une enfance joyeuse entre sa petite soeur et ses parents, dans la ville d'Aix-les-Bains. En 1939, Nicole n'a pas onze ans quand elle voit partir son père à la guerre. Tout commence à changer autour d'elle... Comment Nicole fera-t-elle face aux dangers qui les menacent, elle et les siens?

10 **Un été aux Arpents** **Junior**

par Alan Wildsmith

Quand la famille quitte la ville pour s'installer dans une vieille ferme au milieu de la forêt canadienne, les trois aînés se réjouissent à l'idée d'explorer leur nouveau domaine. Exploration qui va révéler bien des mystères. Quelles sont ces traces dans l'herbe ? Quels sont ces bruits étranges qui retentissent dans la nuit ? Comment les enfants réussiront-ils à percer le secret de la vieille cabane ?

12 **Jonathan Livingston le goéland** **Senior**

par Richard Bach

Jonathan Livingston n'est pas un goéland comme les autres. Sa passion c'est de voler toujours mieux, toujours plus haut. Il refuse de se comporter comme tout bon goéland qui vole uniquement pour se nourrir. Chassé du clan, condamné à une vie de hors-la-loi, il poursuit pourtant son entraînement jusqu'au jour où il rencontre d'autres adeptes du vol libre...

15 **Le passage des loups** **Junior**

par James Houston

La famille de Punik, l'Esquimau, est en train de mourir de faim lentement. Il ne reste plus rien à manger dans le campement. Punik, qui a tout juste treize ans, décide de partir à la recherche des troupeaux.

Comment, pendant six jours et six nuits, le jeune garçon avancera seul dans la plaine gelée, allant de souffrance en souffrance, jusqu'au moment où il se trouve face à un couple de loups...

Aventure

21 **Un hiver aux Arpents** Junior

par Alan Wildsmith

John, David et Paula se retrouvent seuls dans la ferme des Arpents. Leurs parents sont bloqués en ville par la tempête de neige. Lesplacards sont vides de nourriture. Des chiens sauvages rôdent autour de la maison... Joé l'Indien, parti chercher des vivres, ne revient pas... Les enfants ont faim, les enfants ont peur. Comment se défendre ? Comment porter secours à Joé ?

24 **L'inondation** Junior

par Pamela Oldfield

Un matin, Betty, Garry et Tod, qui n'a que deux ans, se retrouvent seuls et prisonniers des eaux. Tandis que leurs parents sont au village, la rivière est sortie de son lit. Au début, les enfants trouvent la situation amusante, mais les choses se gâtent rapidement. Une vieille femme se trouve menacée. Comment les enfants se débrouilleront-ils pour sauver la vieille Moggs et ses chats?

36 **Jambes-Rouges l'apprenti pirate** Junior

par Hans Baumann

Jambes-Rouges est orphelin. À treize ans, il gagne sa vie en travaillant chez un meunier. Maltraité, il quitte son patron pour devenir marin. Mais le voici embarqué, contre son gré, sur un bateau de pirates... « Pirate un jour, pirate pour toujours ! » dit le capitaine Barbe-Rousse. C'est compter sans la débrouillardise de Jambes-Rouges.

37 **Les Arpents sur le sentier de la guerre** Junior

par Alan Wildsmith

Tout le monde n'est pas d'accord sur le tracé de la nouvelle autoroute. John, qui suit la discussion des adultes avec le point de vue de ses douze ans, trouve qu'il est trop peu question de ses amis les Indiens et de leurs érables à sucre.

44 Les chemins secrets de la liberté Junior
par Barbara Smucker

Julilly et Lisa s'enfuient d'une plantation du Mississippi où elles sont esclaves. Elles tentent de gagner le Canada, pays où l'esclavage est interdit. Aidées dans leur fuite par un réseau clandestin, arriveront-elles à atteindre le pays de la liberté?

50 Titkta'Liktak Junior
par James Houston

Tikta'Liktak, un jeune chasseurse trouve bloqué dans une île rocheuse et désertique. Le voilà condamné à mourir de faim. Mais Tikta'Liktak ne se résigne pas. Il lutte contre les éléments et les bêtes et trouve enfin le moyen de regagner la terre ferme.

51 L'esclave du batteur d'or Senior
Par Henry de Monfreid

La jeune Amina vient d'être vendue par son père à un riche batteur d'or. Elle est déportée comme esclave au Yémen. Faredj, son ami de toujours, ne peut se résoudre à la perdre. Il décide de la suivre... et c'est pour lui le début d'aventures périlleuses en brousse et en mer. Faredj et Amina se retrouveront-ils ?

55 Nous de Peyrac en Périgord Junior
par Thalie de Molènes

« Un drapeau rouge claque au vent sur le toit de la Tuilière. C'est le signal : un copain a un problème.» Que faire pour éviter ce départ ?

Trouver de l'argent. Mais comment Mélina a une idée : chercher le million parachuté pour le maquis durant la guerre et jamais retrouvé. Aussitôt la course au « trésor» commence.

63 **Ricou et la rivière** **Junior**

par Thalie de Molènes

La vie des bateliers sur la Vézère au XIXe siècle. Le père de Ricou, quatorze ans, est accusé d'un crime et doit fuir le village. Ricou prend sa place au milieu des gabariers qui descendent la rivière. Il découvre les dures réalités du monde du travail mais aussi la solidarité qui lie les hommes. Arrivera-t-il à prouver l'innocence de son père ?

64 **L'archer blanc** **Junior**

par James Houston

Kungo, un jeune Esquimau de douze ans, a vu les Indiens tuer ses parents et enlever sa sœur. Sa soif de vengeance est telle qu'il décide de devenir un grand archer. Après un long et périlleux voyage, il arrive chez Ittok et sa femme, qui le considèrent comme leur fils. Auprès d'eux, il s'initie au tir à l'arc et à la chasse mais découvre aussi la bonté et la sagesse. Renoncera-t-il à venger les siens ?

88 **Les incroyables aventures du plus petit des pirates** **Junior**

par Irene Rodrian

Au milieu de l'océan, le plus petit des pirates rencontre celui qui va devenir son plus grand ennemi, le gros capitaine. Lors d'un abordage aussi théâtral qu'inefficace, nos deux héros vont se découvrir une profonde inimitié qu'ils vont entretenir à plaisir lors de folles et incroyables aventures.

94 **Vendredi ou la vie sauvage** **Junior**

par Michel Tournier

À la suite du naufrage de « La Virginie », Robinson Crusoé se retrouve seul rescapé sur une île. Après le découragement et le désespoir, il aménage l'île avec l'aide de son serviteur, l'Indien Vendredi. Mais à la suite d'un accident, cette fragile civilisation instaurée par Robinson s'effondre. Pour les deux hommes, une nouvelle existence va débuter...

106 **Les Naufragés du Moonraker** **Junior**

par Eth Clifford

En 1866, au large de la Nouvelle-Zélande, le Moonraker est entraîné par des courants dans une caverne. Pour les passagers du trois-mâts, c'est l'horreur. Seuls deux canots réussissent à s'éloigner de l'épave. À bord, dix survivants. Sur l'île déserte où ils se réfugient, ils mènent un combat douloureux contre la faim, le froid, la maladie dans l'espoir fou de voir une voile apparaître à l'horizon...

124 **Le village fantôme** **Junior**

par Eth Clifford

« L'auberge du Fantôme-qui-chuchote ! Quel nom sinistre pour un hôtel ! » pense Mary-Rose. Cette pancarte ne prédit rien de bon ! Lorsque Mary-Rose, sa petite sœur et leur père se retrouvent dans un village abandonné, les deux filles n'ont qu'une idée : repartir. L'endroit a l'air hanté ! Et il l'est d'une certaine façon...

133 **Le voyage de Nicolas** **Junior**

par Jean Guilloré

En vacances au Sénégal avec ses parents, Nicolas part à la découverte du port de Dakar. Il y rencontre Aimé, unjeune Sénégalais de son âge. Les nouveaux amis, à la suite d'un événement imprévu, vont accomplir ensemble un trajet en pleine brousse. Une aventure qui révèle à Nicolas une Afrique fascinante.

139 **Risques d'avalanche !** **Junior**

par Ron Roy

Scott, quatorze ans, va passer huit jours à la montagne chez son frère aîné Tony qu'il n'a pas revu depuis six ans. Malgré les risques d'avalanche et les interdictions, Tony emmène Scott skier dans un coin « secret et reculé ». Grisés par la descente, les garçons ne peuvent rien contre l'énorme vague blanche qui déferle sur eux... C'est le drame.

140 **Le roi des babouins** **Senior**

par Anton Quintana

Le père de Morengarou est un Masai, sa mère, une Kikouyou deux tribus ennemies d'Afrique Centrale. Morengarou n'est accepté ni par les uns ni par les autres. Et le voici banni. Après des jours d'errance, il doit affronter une troupe de babouins dont il tue le chef. Bien que blessé et mutilé, Morengarou devient le nouveau roi des babouins. Mais est-ce vraiment sa place ?

150 **Seuls en territoire indien** **Junior**

par Louise Moeri

Sur la piste de l'Oregon, un convoi de pionniers a été attaqué par des Indiens sioux. Roi David, douze ans, et sa petite sœur, Reine de Sheba, sont les seuls rescapés du massacre. Malgré une profonde blessure à la tête, Roi David va tenter de traverser le territoire des Indiens en suivant les traces des chariots qui ont pu s'enfuir. Mais les caprices de Reine de Sheba mettent plus d'une fois leur vie en danger...

173 **Le train d'El-Kantara** **Senior**

par Jacques Delval

Lakdar, un jeune Algérien d'une douzaine d'années, attend le passage des trains pour proposer de l'eau fraîche aux soldats français. Entraîné malgré lui dans le train qui ferraille vers le grand désert, Lakdar va vivre une terrible aventure. Il connaît la peur, la solitude mais rencontre aussi l'amitié et la fraternité...

186 **La vie sauvage** **Junior**

par Jean-Paul Nozière

Manuel et Youri, deux amis de treize et quatorze ans, décident de vivre une expérience de « vie sauvage ». Forts de leurs lectures, ils partent quelquesjours seuls, sans nourriture, au cœur d'une réserve. Mais au détour d'un sentier, ils surprennent des braconniers en pleine activité. Une chasse inattendue et impitoyable commence.

251 **Les esprits du monde vert** **Junior**

par Anne Guilhomon-Lamaze

Un jour enfin, Émile est en âge d'accompagner son oncle à la chasse. Mais Émile se retrouve bientôt seul au cœur de la profonde forêt guyanaise, son oncle ayant mystérieusement disparu. Comment survivre dans ce monde vert, à la fois inquiétant et envoûtant?

252 **La malédiction des opales** **Senior**

par Colin Thiele

Ernie Ryan, quatorze ans, vit avec son père dans l'une des régions les plus rudes du monde, là où se trouvent les mines d'opales d'Australie. Avec l'espoir fou de trouver quelques éclats, Ernie creuse dans une mine abandonnée. Et un jour, c'est la chance inespérée : il découvre des opales superbes. Mais son rêve se transforme vite en cauchemar.

259 **Le téléphérique de la peur** **Junior**

par Robert Kellett

Au lieu d'emprunter avec leur père le tunnel du Mont-Blanc, Liza, onze ans, a réussi à convaincre sa soeur aînée de faire le trajet en téléphérique par les sommets. Elles se retrouvent dans la dernière cabine avec Christian et Mark, deux garçons de leur âge. Mais après le passage du premier pylône, une détonation claque et c'est l'horreur.

283 **Tempête au bord du Nil** **Junior**

par Luce Fillol

À la mort de ses parents, Kamil a dû quitter Le Caire pour Louxor sans revoir sa sœur aînée. Il a été confié à un riche propriétaire terrien des bords du Nil. Kamil doit travailler dur et les coups de bâton pleuvent souvent. Quatre ans passent. Un jour, pour échapper au fanatisme religieux de son maître et de ses amis, Kamil se sauve et se retrouve aux portes du désert...

Aventure

285 **Le cercle de pierres** **Senior**

par Nancy Bond

Un été, sur un chantier archéologique... Même si Pennie, à quatorze ans, est trop jeune encore pour prendre part aux fouilles, ce pourrait être des vacances de rêve. Or, non seulement l'ambiance est tendue dans cette famille où, à la suite d'un remariage, chacun doit s'adapter, mais encore, sur le chantier, les incidents se multiplient. Malveillance ? Accidents ?

322 **Sauvé par les éléphants** **Junior**

par Hilary Ruben

Au coeur du Kenya, un jeune berger masai se fait attaquer et voler une partie du troupeau. Son cousin assiste à la scène sans intervenir. Abondonnant Konyek blessé, il rentre au village pour raconter une version tout à son avantage. Konyek arrivera-t-il à retrouver son bien et la confiance des siens?

324 **La famille dispersée. Le Train des orphelins** **Junior**

par Joan Lowery Nixon

En 1860 à New York, une famille d'origine irlandaise est frappée par le malheur. La situation désespérée oblige Mme Kelly à envoyer ses six enfants avec le Train des orphelins. Là-bas, dans l'Ouest, ils sont adoptés par différentes familles. Frances, l'aînée, raconte comment ils affrontent les séparations et les aventures de leur nouvelle vie.

334 **Pris sur le fait. Le Train des orphelins** **Junior**

par Joan Lowery Nixon

En 1860, à New York, une famille irlandaise est frappée par le malheur. Mme Kelly est obligée d'envoyer ses six enfants dans le Train des orphelins vers l'Ouest. Ils sont adoptés par des familles différentes. Mike a été recueilli par les Friedrich, pour travailler à la ferme. Très vite, Mike va soupçonner M. Friedrich d'avoir commis un meurtre.

336 **À la dérive sur le Mississippi** **Junior**

par Chester Aaron

Albie vit dans une vieille ferme du Wisconsin, près des berges du fleuve. Trop près, car à chaque printemps reviennent les crues. Alors qu'il est seul, le garçon se réveille en pleine nuit dans une maison flottant sur les eaux furieuses du Mississippi. Un puma, animal redouté des pionniers, se retrouve bloqué avec lui. Au milieu des eaux boueuses, Albie lutte pour sa survie.

340 **Face au danger. Le Train des orphelins** **Junior**

Par Joan Lowery Nixon

Ce troisième livre nous narre la vie de Maguy. Celle-ci est heureuse d'avoir été choisie par un couple plein de gentillesse, elle pense avoir enfin conjuré le mauvais sort qui s'acharnait sur elle et les siens. Pourtant de nouvelles épreuves l'attendent. Confrontée au danger, Maguy découvre son courage et sa force morale.

344 **L'oiseau de mer** **Senior**

par David Mathieson

Quelque part le long des côtes de la Colombie-Britannique, un avion de tourisme s'écrase. Hélène, dix-sept ans, l'unique survivante, ne devra sa survie qu'à son courage, son astuce, et son ingéniosité. Bientôt, elle décide de fuir à bord d'un bateau qu'elle construira de ses mains avec des matériaux de fortune, trouvés sur place.

349 **Intrépide Sarah** **Senior**

par Scott O'Dell

La famille Bishop est décimée par la guerre civile américaine (1775- 1782) et Sarah se retrouve seule. Elle s'enfuit dans une région sauvage; désormais, elle vivra isolée dans une grotte, affrontant l'hiver, les animaux sauvages, et les hommes...

351 **Danse avec les loups** **Senior**

par Michael Blake

Le lieutenant Dunbar est affecté au fort Sedgewick, au fin fond de l'Ouest sauvage. À son arrivée, le fort est désert. Il se retrouve seul jusqu'au jour où il ramène une femme blessée chez les Comanches. Il apprend leur langue et tombe amoureux de cette Blanche que les Indiens ont enlevée. Comme elle, le lieutenant va devenir un Indien, celui qui Danse avec les loups...

357 **Les croix en feu** **Senior**

par Pierre Pelot

Après la guerre de Sécession, Scébanja revient sur les terres où il est né esclave afin d'acheter une ferme et de se comporter en homme libre. Mais c'est compter sans la haine des Blancs. Appauvris par la guerre, ils voient d'un mauvais œil leurs esclaves d'antans s'émanciper. Le Ku Klux Klan est né!

363 **La famille réunie. Le Train des orphelins** **Junior**

par Joan Lowery

Nixon Danny et Pat Kelly sont recueillis par un couple qui les élève avec amour. À la mort d'Olga, Danny espère remarier sa mère à Alfrid qu'il aime comme son père. Tout ne se passera pas tout àfait comme prévu, mais la famille Kelly retrouvera le bonheur.

366 **Othon l'archer** **Senior**

par Alexandre Dumas

Le comte Ludwig estjaloux. Il soupçonne sa femme d'aimer Albert, et craint que son fils Othon soit le fruit de cet amour coupable. Il chasse sa femme et destine Othon à une vie de moine. Mais Othon s'enfuit et s'engage dans une compagnie d'archers.

Castor Poche Connaissances

Une nouvelle série
à partir de 8/9 ans.

Castor Poche Connaissances

Des petits « poches » à lire d'un trait
ou à prendre et à reprendre.
Des textes pour stimuler la curiosité,
pour susciter l'envie d'en savoir plus.

Castor Poche Connaissances

En termes simples et précis,
des réponses à vos curiosités, à vos interrogations.
Des textes de sensibilisation
sur des notions essentielles.
Les premières clés d'un savoir.
Des sujets variés.
Le sérieux de l'information
allié à la légèreté de l'humour.
Un ton alerte et vivant.

Dans chaque ouvrage,
un sommaire et un index détaillés permettent
de se référer rapidement à un point précis.

C1 Bon pied, bon œil ! (Junior)

Notre santé

par Lesley Newson

Quels sont les moyens de défense et de reconstruction de notre organisme ? Que se passe-t-il à l'intérieur de notre corps lorsque nous avons la varicelle ? Ce guide concis et vivant nous permet d'en savoir plus sur les microbes, les virus, les bactéries et... sur nous-mêmes.

C2 Comme un sou neuf ! (Junior)

La bataille contre la saleté

par Lesley Newson

Qu'est-ce que la saleté ? Comment agissent le savon, les détergents ? Une approche, à la fois scientifique et vivante des questions d'hygiène, qui nous informe avec précision et humour, et nous aide à combattre la saleté sur notre corps, sur nos vêtements, dans nos maisons et dans nos villes.

C3 La marche des millénaires (Senior)

A l'écoute de l'Histoire

par Isaac Asimov & Frank White

Parce qu'il traîte autant des modes de vie et de l'évolution des techniques que des faits dits historiques, ce livre transforme le domaine parfois rebutant de l'Histoire en une matière vivante et attrayante. Les connaissances historiques sont mises en relation avec les grandes préoccupations d'aujourd'hui, et deviennent du coup captivantes.

C4 Sale temps pour un dinosaure ! (Junior)

Les caprices de la météo

par Barbara Seuling

Comment se forme un grêlon ? En quoi une tornade diffère d'un cyclone ? Quelle est la température la plus chaude jamais enregistrée sur terre ? Qu'est-ce que la foudre ? Mille informations sur le temps et la météorologie sont regroupées dans ce petit livre, qui dissipent les interrogations et ... éclaircissent notre ciel !

Cet
ouvrage,
le quatre cent
soixante-huitième
de la collection
CASTOR POCHE,
a été achevé d'imprimer
sur les presses de l'imprimerie
G. Canale & C. S.p.A.
Borgaro T.se - Turin
en février
1996

Dépôt légal : septembre 1994.
N° d'Édition : 4056. Imprimé en Italie.
ISBN : 2-08-164056-2
ISSN : 0763-4544
Loi n° 49-956 du 16 juillet 1949
sur les publications destinées à la jeunesse